L'envers de la vie

Susanne Julien

L'envers de la vie

Roman

ÉDITIONS PIERRE TISSEYRE
5757, rue Cypihot — Saint-Laurent, Qc, H4S 1X4

Dépôt légal: 3e trimestre 1991
Bibliothèque nationale du Canada
Bibliothèque nationale du Québec

Données de catalogage avant publication (Canada)

Julien, Susanne

    L'envers de la vie

    (Collection Faubourg St-Rock ; 3).
    Pour les jeunes.

    ISBN 2-89051-452-8

    I. Titre. II. Collection.

PS8569.U477E58 1991   jC843' .54   C91- 096723-7
PS9569.U477E58 1991
PZ23.J84En 1991

Logo de la collection :
Vincent Lauzon

Illustration de la couverture :
Odile Ouellet

567890 AGMV 0543210

Copyright © Ottawa, Canada, 1991
Éditions Pierre Tisseyre
ISBN-2-89051-452-8

10642

COLLECTION FAUBOURG ST-ROCK
directrice: Marie-Andrée Clermont

À mes trois enfants
qui entrent dans cette période
mouvementée qu'on nomme adolescence.

1

Chagrin d'amour

Ses ongles étant trop courts pour soulever le coin de la pellicule de plastique qui recouvre l'emballage, Sonia tente de le déchirer avec ses dents. Elle crache un petit morceau de carton et bougonne:

— Si je me rongeais pas les ongles jusqu'au sang, ça serait plus facile... Bon, je l'ai!

Ses efforts n'ont pas été vains et elle réussit enfin à extirper, de son étui cartonné, un stylo à plume. L'objet tant convoité a une belle teinte lilas, une forme effilée et glisse doucement sous ses doigts. La jeune fille glousse de satisfaction en y insérant une cartouche d'encre. Elle effectue un premier essai sur l'endos de l'emballage. Déception, l'encre n'est pas de la même couleur que le stylo, mais bleu pâle.

— Bof! Pas grave, quand j'achèterai d'autres cartouches, je demanderai des mauves... ou des roses.

Sans plus attendre, elle ouvre le tiroir du bas de son bureau pour en retirer un cahier noir à reliure rigide. Elle arrête subitement son geste et se lève en souplesse. À pas de loup, silencieuse, elle va coller son oreille au mur qui la sépare de la chambre de son frère. Il y a déjà un certain temps qu'il n'est pas venu la déranger à l'improviste, mais on ne sait jamais, l'envie pourrait le reprendre ce soir.

Les bruits qu'elle entend, la rassurent: un livre qui se referme brusquement, un autre qui s'ouvre, un reniflement suivi d'un soupir, des pages que l'on tourne, le craquement d'une chaise qui se balance. Jean-Marc doit faire ses devoirs.

— Parfait! Parfait! chuchote-t-elle. Il ne viendra pas m'embêter.

Elle revient à sa place, dépose le cahier sur sa table de travail et le feuillette rapidement jusqu'à la première page blanche. Elle toussote un peu, s'étire les muscles des bras et du dos et fixe le mur quelques secondes avant qu'un sourire n'illumine son visage délicat. Deux fossettes bien visibles au centre de chacune de ses joues ajoutent de la malice à ses yeux coquins. Elle tient son idée, celle qui la fera rêver ce soir. Elle s'empare de sa plume et rédige avec de belles lettres rondes, droites et agréables à lire:

«En ce premier jour de l'an de grâce...»

Elle s'arrête pour mieux savourer le bruit de sa nouvelle acquisition qui gratte doucement le papier ligné. L'effet est magique. Elle a l'impression de revenir à l'époque des chevaliers en armures étincelant au soleil, à l'ère des châteaux aux multiples passages secrets... Un son plus terre à terre la ramène au présent. Encore son frère qui renifle avec un manque d'élégance flagrant. Elle attend qu'il cesse pour poursuivre.

«... 1025, Moi, Merline, la grande enchant...»

— Enchanteur au féminin, c'est enchanteuse ou enchanteresse? se demande-t-elle en fronçant les sourcils.

Trouvant que le premier terme rime trop avec musique pop, elle opte pour le second à la résonance beaucoup plus vieillotte.

«...eresse, jure d'utiliser mes nombreux et puissants pouvoirs à combattre les forces du mal qui cherchent par tous les moyens à détruire l'harmonie de notre monde.»

Elle soulève sa main et se relit pour mieux juger son entrée en matière. Adoptant un ton théâtral, elle répète le texte à mi-voix. Un troisième reniflement, provenant de la chambre voisine, l'interrompt.

— M'agace, lui! grogne-t-elle entre ses dents. Quand on a le rhume, on se soigne!

Sonia chasse son frère de son esprit et replonge dans son récit. Elle imagine son héroïne, grande, mince, vêtue d'une longue robe en satin couleur de feu, brodée de fils d'or. Un ruban doré entoure son front et ses beaux cheveux bruns qui flottent librement sur ses épaules. Elle lui invente même des fossettes. Merline devient en quelque sorte un reflet amélioré de sa propre personne.

«Les périls que j'affronterai dans cette tâche, seront de peu de poids dans la balance du bien que j'aurai réussi à procurer à mon bon peuple.»

Elle sent confusément que quelque chose cloche dans sa phrase. Ne sachant comment l'améliorer, elle la laisse telle quelle. Quoique puisse en dire son professeur de français, Lucie Jetté «Aux Poubelles», l'important ce n'est pas le style, mais l'idée!

Un nouveau reniflement doublé d'un long soupir la fait sortir de ses gonds.

— Il exagère le grand frère! Je vais lui montrer les bonnes manières.

Elle sort de sa chambre en coup de vent, va cueillir une boîte de kleenex dans la salle de bains et, sans plus réfléchir, entre vivement chez Jean-Marc. Celui-ci, assis à son bureau, le visage enfoui sur ses bras, sursaute. Il relève la tête, la regarde un instant, se retourne rapidement pour s'essuyer les yeux du revers de la main avant de s'écrier d'une voix brisée:

12

— Qui t'a donné la permission d'entrer? Qu'est-ce que tu veux?

La boîte de papiers mouchoirs d'une main, la poignée de porte dans l'autre, Sonia fige sur place. Elle n'a jamais vu son grand frère ainsi. Son aîné, presque cinq ans de plus qu'elle, pleure en cachette! Qu'est-ce qui lui prend? Habituellement, c'est lui qui s'arrange pour la faire pleurer de rage avec ses taquineries plus terribles les unes que les autres.

— Euh! j'ai pensé que tu aurais peut-être besoin de ça, bafouille-t-elle en lui tendant la boîte.

Il l'agrippe, marmonne un vague remerciement et chasse sa sœur d'un mouvement sec et sans réplique. Sonia n'hésite pas longtemps et bat en retraite. De toute façon, elle ne sait quoi dire. Derrière la porte, elle écoute son frère qui se mouche bruyamment. Elle finit par hausser les épaules. Il a sûrement une peine d'amour. En retournant à sa chambre, elle s'étonne, songeuse.

— Pas possible! Les gars aussi pleurent d'amour!…

Elle reprend sa plume et met de l'ordre dans ses idées avant d'écrire :

«Un messager m'a apporté de bien tristes nouvelles du vieux roi Arthur II. Son fils bien-aimé, l'aimable Jehan a été envoûté par une vilaine sorcière, Rastabouffe La Borgne. De son œil unique, elle a réussi à plonger le prince dans

13

un monde imaginaire hanté de griffons, dragons et autres monstres malins.»

Sonia lève les yeux et tend l'oreille. Jean-Marc pleure encore, elle en est persuadée. Utilisant un juron digne de son récit, elle murmure:

— Peste de l'enfer! Il ne va tout de même pas faire une dépression pour une fille. Il devrait plutôt se secouer et en trouver une autre. À La Passerelle, il en pleut. Je me demande bien pour laquelle il soupire ainsi?

Elle est déçue de ne pas avoir réalisé plus tôt que son frère a eu un coup de foudre. Elle aurait pourtant dû s'en rendre compte, car ils vont ensemble à la polyvalente La Passerelle. Ils ne marchent peut-être pas côte à côte pour s'y rendre, mais ils ne sont jamais bien loin.

C'est vrai que, depuis quelque temps, Jean-Marc disparaît vite après la classe. Ça fait bien trois ou quatre semaines qu'il ne l'a plus agacée sur le chemin du retour. Et pour cause. Il ne revient pas à la maison directement... Il arrive toujours juste à temps pour le souper, quelques minutes avant que sa mère ne rentre du travail. Où peut-il aller? À qui donne-t-il rendez-vous? Quelle est donc la jouvencelle qui lui fait battre de l'aile? Emballée par l'idée d'un mystère planant autour de son frère, elle s'écrie joyeusement:

— Morbleu! je découvrirai la coquine qui ose meurtrir d'abominable façon, mon frère charmant!

Elle plaque une main sur sa bouche pour étouffer son rire. La pensée de jouer à l'espionne l'amuse et stimule sa créativité. Stylo à la main, elle remplit deux pages entières des fabuleuses aventures de Merline, l'enchanteresse, aux prises avec les terribles maléfices de Rastabouffe. Les charmes et les sortilèges se bousculent dans sa tête et sur le papier.

2

Chagrin d'amitié

Assise à son pupitre, Sonia contemple une esquisse de Merline. C'est sa grande amie, Caroline, qui l'a tracée après avoir entendu l'histoire de l'enchanteresse. Entre les deux jeunes filles existe une entente vieille de quelques années. Sonia invente un conte et Caroline l'illustre en y ajoutant son grain de sel.

Elles se disent tout. Presque tout... aujourd'hui, Sonia a choisi de lui cacher la peine de son frère. C'est un sujet délicat. Après tout, ce n'est pas son secret, mais celui de Jean-Marc. Si elle le dévoile à son amie et qu'il s'en aperçoive, il lui dévissera la tête, c'est certain! De plus, elle préfère s'occuper seule de cette affaire. Le côté mystérieux de la chose ne lui déplaît pas. Et, après tout, Merline n'a besoin de personne pour accomplir ses exploits.

Elle se tourne vers Caroline qui est assise de biais derrière elle et chuchote:

— Faut que j'aille à la bibliothèque, mes livres sont en retard!

La réponse se fait sur le même ton:

— T'aurais dû y aller ce midi.

— J'ai oublié…

— Je peux pas t'attendre. Tu le sais.

Sonia hausse les épaules et grimace un air déçu. Elle le sait très bien que son amie ne peut l'attendre puisqu'après la classe, elle s'occupe de sa petite sœur qui va à l'école primaire à deux pas de La Passerelle. Sonia sait aussi que la meilleure façon de se débarrasser de quelqu'un sans le lui dire, c'est d'utiliser un petit mensonge. Ses livres ne sont pas en retard, mais c'est une bonne excuse. Elle aura la voie libre ce soir.

Elle glisse le dessin de Caroline dans un roman et attend avec impatience la fin du cours. Pour gagner du temps, elle a déjà son manteau en jean dans son sac d'école sous sa chaise. Elle n'aura pas besoin de passer par les casiers.

Dès le son de la cloche, elle lance un bref «Salut, Caro!» et se précipite dans l'escalier qu'elle dévale à la hâte. Un étage, deux étages,

18

sa main s'accroche à la rampe pour accélérer le rythme. Arrivée devant la porte de la bibliothèque, elle arrête sa course. Son roman à la main, elle surveille la sortie qui donne sur le stationnement. C'est toujours par là que Jean-Marc quitte la polyvalente. Est-il déjà parti? Elle s'inquiète un peu. C'est long! Qu'est-ce qu'il fait?

Le voilà! Un sac de sport sur l'épaule, il ne porte aucune attention à sa sœur qui fait semblant d'entrer dans la bibliothèque. Parfait! Il ne se doute de rien. Il se faufile dehors, Sonia suit ses traces. Au lieu d'aller directement dans la rue de l'Alliance qui le mènerait chez lui, il longe l'école, évite des petits tas de neige que le chaud soleil du printemps n'a pas encore réussi à fondre et revient vers la grande rue, le boulevard de La Passerelle. Là, il bifurque à droite, direction des Églantiers.

«J'espère qu'il ne va pas prendre le métro, s'inquiète Sonia. Je n'ai pas d'argent.»

Sans perdre espoir, elle le suit pas à pas. Après tout, il n'y a pas que le métro dans cette rue, Jean-Marc a peut-être rendez-vous dans un magasin ou un restaurant. Le troupeau des jeunes étudiants se fait moins dense sur le trottoir. L'adolescente tente de garder une distance raisonnable et prudente entre elle et son frère.

De loin, elle s'amuse à l'examiner: des cheveux bruns foncés, presque noirs, plutôt grand, de longues jambes maigres, enfin plus si maigres que cela. Si auparavant, elle pouvait le surnommer la grande échalote, elle doit bien avouer que, depuis un an, il a changé. Il est plus large des épaules et de tout le corps. Elle se rappelle l'autre jour quand il est sorti de la salle de bains habillé seulement de son caleçon, à quel point elle a été surprise. Il ne ressemble plus à l'adolescent maigrichon avec qui elle se baignait l'été dernier à la piscine.

«Maman a raison. L'an prochain, il ira au cégep, il est devenu un «vieux», songe-t-elle en l'observant. Paraît qu'il est bâti comme papa. Il n'était pas mal, papa...»

Sonia s'enfonce brusquement contre la porte d'un magasin, une fruiterie. Elle a vu Jean-Marc se retourner et regarder derrière lui. Soupçonne-t-il quelque chose? Ses yeux noirs et tristes scrutent les alentours, puis il traverse la rue. Sonia a eu chaud, mais il ne l'a pas aperçue. C'est l'essentiel. Lentement, elle s'approche du coin et se cache derrière le poteau des feux de circulation. Elle épie son frère qui remonte l'allée et entre dans l'hôpital par la porte principale.

«Qu'est-ce qu'il fait là? Il n'est pas malade! Non! je le sais, c'est sa blonde qui est malade. C'est pour cela qu'il a du chagrin.»

Son mystère est résolu et elle s'apprête à partir, mais change d'idée. Elle ne sait toujours pas qui est la précieuse amie de son frère. Et il n'y a qu'un moyen de le savoir. Aller voir!

Elle traverse la rue à son tour et, d'un pas assuré, pénètre dans l'hôpital. Un homme en habit gris, assis dans l'entrée, la dévisage de haut en bas avant de lui demander:

— Où vas-tu?

Sans hésiter, elle montre le livre qu'elle a toujours dans sa main, et répond:

— Je cherche mon frère, pour lui remettre ça. Il l'a oublié...

— Ton frère? l'interrompt le gardien en fronçant les sourcils.

— Oui, reprend-elle très vite. Il vient tout juste de passer. Il a une veste en cuir et les cheveux foncés, grand comme ça...

— Je vois qui tu veux dire, il vient ici tous les jours.

— C'est ça. Vous savez où je peux le trouver.

— D'habitude, il prend l'ascenseur jusqu'au troisième, ensuite...

Il a un geste vague qui indique qu'il n'en sait pas plus, mais c'est déjà bien suffisant pour Sonia qui se fie à sa bonne étoile.

— Merci, s'écrie-t-elle en s'élançant vers l'escalier.

Il lui semble qu'il serait trop long d'attendre l'ascenseur et son besoin d'action la pousse à bouger. Elle grimpe les marches rapidement. Puis, elle glisse un œil discret sur l'étage pour s'assurer que la voie est libre. Son frère n'est pas en vue, mais elle aperçoit une infirmière qui marche vers le bout du corridor. Elle hésite un peu, puis se dit qu'elle est trop près du but pour reculer.

Elle avance à pas lents, tendant l'oreille au moindre bruit de voix, furetant des yeux à chaque porte entrouverte. Dans certaines chambres, le seul signe de vie provient d'une télévision qui chuchote, ailleurs, du bruissement d'un corps qui bouge sous un drap. Terriblement intimidée, Sonia ose à peine respirer, elle sent que sa place n'est pas ici, qu'elle viole un lieu sacré. En réalité, c'est le secret de son frère qu'elle s'apprête à voler, mais c'est plus fort qu'elle, il faut qu'elle aille jusqu'au bout.

Elle reconnaît enfin sa voix. Il est dans la chambre suivante. La porte n'est pas tout à fait fermée, mais elle ne peut voir à l'intérieur. Elle s'approche pour mieux entendre. Elle est surprise de constater que l'autre voix n'est pas celle d'une fille. Elle l'a déjà entendue d'ailleurs, mais où? C'est un jeune homme, mais qui? Et pourquoi son frère vient-il le visiter en cachette?

Elle recule brusquement, car la porte bouge un peu. De l'autre côté, Jean-Marc annonce qu'il reviendra bientôt. Sa visite est déjà terminée? Sans attendre, Sonia s'engouffre derrière la porte suivante qu'elle referme vivement. L'oreille collée dessus, elle écoute. Un léger toussotement lui fait réaliser qu'elle n'est pas seule. La chambre où elle est entrée, contient deux lits. L'un est vide et, sur l'autre, un homme assez âgé est assis en pyjama et robe de chambre.

Avant l'intrusion de Sonia, il lisait. À présent, il dépose son livre sur ses genoux, ôte ses lunettes et en suce distraitement une des pattes. D'un œil amusé, il interroge muettement la jeune fille. Elle met un doigt sur la bouche pour le supplier de se taire. Il sourit davantage et ne dit mot. Sonia répond d'un sourire malicieux. Il ne la vendra pas.

Dans le couloir, les pas de Jean-Marc s'estompent. La porte de l'ascenseur se referme. Il est parti. Sonia vérifie en passant sa tête en dehors de la chambre. Personne. Maintenant, elle doit une explication à son hôte.

Elle se retourne vers lui, mal à l'aise. C'est lui qui l'aborde le premier.

— Votre poursuivant s'est envolé, jeune demoiselle?

Il a un ton enjoué et ses yeux bleus pétillent de malice. Sonia entre dans le jeu.

— Sans votre aimable coopération, j'étais faite. Il m'aurait vue.

— Nous sommes donc devenus des complices, mais j'ignore encore de quoi. J'espère que, le danger écarté, vous voudrez bien me mettre au courant des périls que j'ai involontairement affrontés?

Le vieil homme lui semble franchement sympathique. Il ne lui fait pas la morale comme la plupart des grandes personnes. Non, il s'informe tout bonnement de ce qui est arrivé, par curiosité et par amusement. Mise en confiance par son attitude, Sonia lui explique:

— C'est mon frère, il a l'air tellement bizarre ces derniers temps, que j'ai voulu savoir pourquoi. Alors je l'ai suivi jusqu'ici.

— En autant que votre frère n'a pas plus de douze ans et qu'il n'est pas plus haut que trois pommes, je crois être en mesure de vous défendre.

— Oh! Il est beaucoup plus grand et plus vieux que ça, s'exclame-t-elle en riant, mais aucun problème, ce n'est pas un violent.

— Vraiment? Même le plus doux des hommes peut se changer en tigre si on touche à ce qu'il a de plus précieux. Et un secret peut valoir de l'or!

— Peut-être, mais je ne vois pas le rapport...

— Alors oublions ce que je viens de dire. Ce ne sont que des paroles de vieux monsieur qui radote. Je vous souhaite de la réussite dans votre entreprise. Je ne vous retiens pas. Vous devez avoir hâte de mener à bien votre petite enquête. Et moi... je dois prendre un peu de repos.

Il lui signifie clairement, mais poliment, que l'entretien est terminé. Sonia ouvre la porte. Elle ressent pourtant le besoin de se justifier avant de partir.

— Vous savez, c'est parce que je l'aime bien mon frère que je veux savoir. Ça me fait tout drôle en dedans quand je le vois pleurer... Au revoir.

24

Elle referme et marche jusqu'à l'autre chambre. La porte est grande ouverte. Du couloir, elle aperçoit un seul lit et deux jambes allongées. L'inconnu, la cause des malheurs de Jean-Marc est là, à quelques pas d'elle. Son cœur bat fort. Si elle veut savoir, il faut pourtant bien qu'elle entre. Que va-t-elle dire?

Lentement, elle avance vers le lit et découvre peu à peu un adolescent maigre, pâle, immobile. Il la fixe de ses yeux fiévreux, inquiets. Est-ce un éclair de colère qu'elle y entrevoit? Soudain, il sourit méchamment, retrousse les babines et s'écrie:

— Sonia, le p'tit singe!

Elle ouvre la bouche, étonnée, puis le reconnaît. C'est Antoine, le grand copain de son frère. Celui qui est allé vivre avec sa mère à Toronto, il y a deux ans et dont on n'avait plus de nouvelles.

— Ferme ta bouche, tu vas avaler des mouches, lui lance-t-il d'un ton sec.

— Qu'est-ce que tu fais ici? réussit-elle enfin à prononcer. Je te croyais avec ta mère!

L'air peu engageant, Antoine réplique:

— La vieille m'a *shippé* chez le paternel. Pis, c'est pas de tes *business*.

Quand on l'agresse verbalement, Sonia, par réflexe, adopte un ton hautain et moqueur:

— Hum! Félicitations! Ton petit séjour chez les Anglais t'a permis d'approfondir leur belle langue, celle des affaires, même si ce n'est pas des miennes. Malheureusement, ça n'a pas amélioré ton caractère.

Antoine se glisse sur le bord de son lit et se penche vers elle pour lui dire:

— J't'ai pas demandé l'heure! J't'ai pas appelée! Laisse-moi donc tranquille, sale ouistiti. Quand je voudrai des nouvelles sur le monde des guenons, j'irai te voir. Mais en attendant, scramme! Déménage!

L'effort qu'il fournit pour insulter la jeune fille, provoque chez lui une quinte de toux qu'il ne contrôle pas. Il se cache le visage dans son drap. Tout son corps est secoué brutalement. Sonia le regarde les yeux grands ouverts, ne sachant pas quoi faire pour lui venir en aide. Il parvient finalement à reprendre le dessus et respire presque normalement. Il se recouche et tourne le dos à Sonia en lui marmonnant de nouveau de le laisser tranquille.

Plus impressionnée par la maladie que par les paroles d'Antoine, elle quitte la chambre sans un mot. Le chemin du retour s'effectue à un rythme de tortue. Elle est toute chavirée par ce qu'elle a vu. Antoine, le grand Antoine! C'est ainsi qu'elle l'appelait toute petite. Il y a tellement longtemps qu'elle le connaît. Ça date de l'époque où les parents d'Antoine se sont séparés.

Elle avait environ quatre ans et son propre père était mort depuis peu, d'un accident de voiture dont elle n'a aucun souvenir. Son père s'est effacé de sa vie et le grand Antoine y est apparu. Pour gagner un peu plus d'argent, sa mère gardait des enfants, dont Antoine, le midi et le soir après la classe. Pour une fillette de quatre ans, un grand gamin de neuf, c'est impressionnant. Et il était si drôle! Il riait tout le temps, de tout, même d'elle. Dans ce temps-là quand il disait p'tit singe, c'était amusant. Mais aujourd'hui...

Après, quand sa mère avait cessé de garder pour travailler à temps plein à la pharmacie, elle avait continué à s'occuper d'Antoine. Elle l'aimait bien et puis, il lui faisait pitié seul avec son père, sa mère partie travailler en Ontario. Alors Antoine était devenu un deuxième grand frère. Non, il était mieux qu'un grand frère car il ne lui criait jamais après. Tandis qu'aujourd'hui...

Qu'est-ce qu'il lui a pris de la traiter ainsi? Il n'en avait pas le droit! Que lui est-il arrivé durant ces deux années, au loin, avec sa mère? Il a changé, terriblement changé. Où est donc passé Antoine, si gentil, si joyeux? Est-ce pour cela que Jean-Marc pleure? Parce qu'Antoine n'est plus le même.

Elle se secoue et décide que ce n'est pas son problème. Tant pis pour lui! Elle a autre chose à faire. Mission accomplie, Merline. Tu as découvert la source des malheurs de ton frère. Pour le reste... La tête haute, elle rentre chez elle, au 2510 de la Montée-à-Rebours.

Assise directement sur le sol, les yeux rivés sur l'écran, la manette entre les mains, Sonia promène le «petit frère Mario» dans les dédales du jeu vidéo. Elle entend la porte d'entrée qui claque, mais n'y porte aucune attention. Les pas qui s'approchent vivement d'elle ne la dérangent pas. La seule chose qui la fait réagir, c'est quand Jean-Marc éteint la télévision.

— Hey! J'allais l'avoir! Pourquoi t'as fait ça?

— Et toi? Pourquoi tu m'as suivi jusqu'à l'hôpital? réplique-t-il en se plantant devant elle. J'étais sorti de sa chambre juste pour quelques minutes, le temps de lui acheter une revue. Antoine m'a tout raconté quand je suis revenu. Il s'imaginait que c'était moi qui t'avais amenée là.

Jean-Marc est en colère, une colère noire. Il s'avance, l'œil méchant. Sonia glisse sur ses fesses et recule ainsi jusqu'au mur où il la coince. D'un geste brusque, il se baisse, pose ses genoux de chaque côté des cuisses de sa sœur, place ses mains sur les épaules de Sonia et colle son visage à quelques centimètres de son nez. Il répète:

— Pourquoi?

Elle ne l'a jamais vu aussi fâché. La peur l'empêche de répondre. Les doigts de Jean-Marc lui entrent dans la peau et la blessent. Elle gémit un peu. Il réalise qu'il exerce trop de pression, lui lâche les bras pour s'appuyer au mur.

— Pas peur! J'te battrai pas, même si tu le mérites. Réalises-tu tout le tort que tu as fait à Antoine, cet après-midi?

— J'ai jamais voulu lui faire de mal, réussit enfin à dire Sonia. J'essayais seulement de savoir...

— C'est pas de tes oignons. Antoine, c'est mon ami, et toi...

— Et moi, je ne suis rien peut-être? C'est pas juste ce que tu dis là. Ça fait aussi longtemps que toi que je le connais, et il jouait avec moi quand j'étais petite...

— Justement, t'es encore petite et lui, il a grandi!

— Petite! s'exclame-t-elle insultée. J'ai douze ans et cinq-sixièmes, tu sauras.

Jean-Marc sourit tristement et se recule pour s'asseoir devant sa sœur. Sa voix se fait plus douce, mélancolique, pleine d'amertume.

— Cinq-sixièmes! T'as encore beaucoup de chemin à faire avant de comprendre.

— Je ne suis pas aussi nouille que tu le penses, Jean-Marc Pelletier. Qu'est-ce qu'il y a de si difficile à comprendre?

— La vie! La vie qui te joue des sales tours de cochon quand tu t'y attends le moins.

Il se tait, soupire et évite le regard de Sonia. Elle n'est pourtant pas satisfaire par ce semblant d'explication. Elle le relance:

— Continue!

Les yeux sombres reviennent sur elle et la détaillent. Il hoche la tête et dit enfin:

— Non, Sonia! Il vaut mieux que tu oublies tout ce que tu as vu aujourd'hui. Oublie l'Antoine de l'hôpital! Si tu penses à lui, rappelle-toi seulement celui d'avant, parce que maintenant... Tu ne le reverras probablement jamais. Et ce sera mieux ainsi.

— Et toi? Tu lui rends bien visite tous les soirs?

— Il faut bien que quelqu'un le supporte un peu. Pour le temps qu'il lui reste, ajoute-t-il pour lui-même à voix basse.

Sonia a de bonnes oreilles et sa curiosité est piquée. Elle voudrait en savoir davantage, mais sa mère rentre à l'instant de son travail. Il se hâte de glisser à sa sœur:

— Pas un mot à maman, sinon...

Ce n'est pas la menace qui fera taire la jeune fille, mais l'attrait du mystère. Elle se promet bien de ne pas laisser les choses ainsi et de tirer cela au clair.

3

À la recherche de Merline

Debout au centre de l'estrade de l'amphi-théâtre, Sonia déclame pour un auditoire attentif, enthousiaste, mais restreint. Il n'y a que Caroline assise au premier rang. Les deux jeunes filles profitent d'une distraction de leur profes-seur de formation personnelle et sociale, Gaétan Lacombe («Gaga» pour les intimes, c'est-à-dire les étudiants). Radoteur infatigable et étourdi incontrôlable, il est souvent la proie des blagues des jeunes qui l'aiment bien, pourtant.

Caro et Sonia ont réalisé qu'il ne ferme jamais à clé la grande salle après le dernier cours de l'avant-midi. Elles peuvent donc user à leur aise du local durant tout le dîner. Et elles ne se gênent pas.

— Oh! Arthur! Me voici enfin de retour après un long périple au sombre et ténébreux Royaume des Ombres où règne la terrible Rastabouffe. Grâce à moi, votre fils Jehan a été délivré des chaînes invisibles qui l'empêchaient de vivre au gré de sa volonté...

«Je l'ai découvert dans l'antre de votre ennemi. Il gisait inconscient dans une immense salle sous un drap noir brodé de serpents. Un amas de squelettes formait un autel auprès duquel s'entassaient des piles de livres. L'infortuné prince, qu'un long jeûne avait préparé, n'avait, pour apaiser sa faim, que des boissons qui épuisaient sa volonté. Des amulettes étaient attachées à son cou et des signes étranges étaient tracés sur son visage. Des ombres malicieuses glissaient sans bruit autour de lui. Heureusement, les forces du bien ont vaincu et Jehan est de nouveau en sécurité dans votre demeure...»

Jouant tous les rôles, Sonia courbe le dos et transforme sa voix pour devenir le vieux roi Arthur II.

— Toute ma gratitude vous est acquise. La joie que vous me procurez, est immense. Je vous serai éternellement reconnaissant pour votre aide. Chère Merline, veuillez m'accorder une faveur supplémentaire: contez-moi plus en détail, cette aventure...

— Oui, oui! l'interrompt Caroline. Je veux savoir comment l'enchanteresse est venue à bout des monstres dans la Forêt des Carcajous et des fantômes du Château Maléfique!

Sonia éclate de rire et répond:

— C'est simple! Avec une épée magique, voyons!

— Bien, voyons! J'aurais dû y penser, s'écrie Caroline en riant elle aussi. C'est pratique la magie!...

Sonia approuve d'un mouvement de tête, se dirige vers un sac brun qui traîne au bord de la scène et en retire un gros sandwich au jambon. Elle avale quelques bouchées avant de dire d'une voix rêveuse:

— Dommage que ça n'existe pas vraiment la magie! Ça serait trippant tout ce que l'on ferait avec...

— Transformer tous les profs en statues de sel, suggère Caroline.

— Oh! non! Chaque prof doit garder son caractère propre, même si on le métamorphose. Par exemple, Lucie Jetté deviendrait une corbeille à papier de la bibliothèque.

— De préférence, celle qui est à côté de la photocopieuse, elle est toujours pleine...

— Oui! pouffe Sonia, et Gaga serait... le pendule du professeur Tournesol. À l'ouest! À l'ouest! ajoute-t-elle en criant.

— Pas si fort! On va nous entendre.

— Mais non! Tu sais qu'il n'y a jamais personne à cette heure-ci.

Elles mangent silencieusement pendant quelques instants, puis Caroline soupire:

— Ça me désole un peu que ton prince Jehan n'ait pas un rôle plus important dans ton histoire.

— Pourquoi il aurait une meilleure place? s'exclame Sonia mi-surprise, mi-offusquée. C'est Merline le personnage principal et elle n'a besoin de personne pour l'aider à triompher des vilains.

— Je sais bien, mais, entre elle et Jehan, il aurait pu y avoir une histoire d'amour.

— Ouach! Merline tomber amoureuse d'un minus pareil? Jamais de la vie! Et puis, les romans à l'eau de rose, ça m'intéresse pas. C'est ennuyant.

— Pas tout le temps. C'est parfois très… très… je ne sais pas moi. Très…

— Ennuyant, intervient Sonia avec un clin d'œil.

Caroline lui lance sa boîte de raisins secs.

— C'est tout ce que tu mérites. Tant pis, tu ne verras pas mes autres dessins.

Sonia tombe à genoux et, les mains jointes, supplie son amie:

— Pitié, noble et gente dame. N'ayez pas le cœur aussi dur pour une pauvresse. Pardonnez-lui, car elle ne sait ce qu'elle dit. De grâce…

Son amie ne peut résister à une telle comédie, et de toute façon, elle brûle trop d'envie de lui montrer ses petits chefs-d'œuvre pour la faire languir. Elle ouvre un cartable et y prend trois feuilles. L'une d'elle représente un château médiéval.

— Wow! Génial! Il a l'air vrai, avec des tours et un pont-levis!

— J'ai pris le modèle dans une vieille encyclopédie de mon père.

— Calqué?

— Non, l'image était grande comme un dix cents. Le deuxième dessin, c'est la forêt de la méchante Rastabouffe. Je devrais peut-être y mettre un peu plus d'ombre, tu crois pas?

— C'est incroyable! Si seulement j'avais le quart de ton talent! Comment tu fais?

— Sais pas. Ça vient tout seul. Je regarde quelque chose ou je ferme les yeux et l'image se fait d'elle-même. C'est comme toi quand tu inventes une histoire et que tu la joues, ça ne te force pas. Regarde la dernière, c'est la meilleure.

Sonia s'empare du troisième dessin. Elle y voit Merline, grandiose, au bras d'un jeune homme aux traits réguliers, à l'allure d'un prince.

— Jehan et Merline... C'est peut-être pas une mauvaise idée.

— C'est une excellente idée! Deux êtres aussi magnifiques sont faits pour s'unir un jour.

— Magnifiques! Merline, d'accord, mais Jehan... il est moche et sans caractère. Sans intérêt, quoi! Tandis que mon enchanteresse est parfaite:

en beauté, en courage, en ingéniosité. Tiens, tu lui as fait les yeux verts...

— Je n'avais pas eu le temps de mettre de la couleur sur le croquis d'hier. Passe-le-moi, je vais l'arranger.

Sonia hésite un peu avant de bafouiller une excuse:

— Je... je pense que je l'ai oublié à la maison.

— Comment as-tu pu l'oublier? Je me demande où tu as la tête de ce temps-ci...

— Dans la Forêt des Carcajous, répond vivement Sonia. Je l'apporterai demain et je te le remettrai au cours d'écologie. As-tu étudié pour l'examen?

La réponse est négative et brève, mais les commentaires sur le professeur et le cours sont longs et chargés d'émotion. Sonia a réussi à changer le sujet de conversation sans que cela n'y paraisse. Comment aurait-elle pu lui dire que le dessin de Merline n'est pas oublié mais perdu à l'hôpital? Elle en est certaine, il n'y a que là qu'elle a pu l'échapper sans s'en rendre compte. Maintenant qu'elle a promis de le ramener pour le lendemain, elle n'a pas le choix. Elle doit le récupérer aujourd'hui.

Cette visite à Antoine ne lui plaît pas. L'accueil risque d'être aussi dur qu'hier. Et Jean-Marc? Il ne voudra jamais la laisser entrer dans la chambre du malade... Il faut pourtant qu'elle y aille.

— Mademoiselle la Lune, je vous parle, chantonne Caroline.

— Euh! Quoi? Qu'est-ce que tu disais?

— Rien du tout, soupire son amie. Allez, viens, il ne reste que quinze minutes avant le début des cours.

À la hâte, elles ramassent leurs affaires et quittent prudemment leur cachette.

○

Une fois n'est pas coutume. C'est la première fois que ça lui arrive de sécher un cours. Elle a eu beau chercher une autre solution, elle n'a rien trouvé de mieux. Profitant de la cohue qui règne habituellement entre deux cours, elle se hâte vers la sortie. Une dernière hésitation avant de pousser la lourde porte métallique... non, personne ne fait attention à elle.

Tout excitée par sa propre audace, Sonia traverse allègrement les quelques mètres qui la séparent du trottoir. Arrivée au coin de la rue, elle éclaterait de rire tellement ç'a été facile. C'est à cet instant précis qu'une voix la fait sursauter.

— Salut, Sonia! C'est une super après-midi pour déserter l'école!

«Oh, non! soupire intérieurement la jeune fille, pas Super-sans-tête! Il va encore me coller après.»

— Salut, Ben, dit-elle sans entrain.

Elle allonge le pas pour le distancer, il accélère et ajuste son rythme au sien. Puis, il entame la discussion sans réaliser à quel point il l'embête. Il est incapable de dire plus de trois phrases sans utiliser son expression favorite: super. Son bavardage tombe sur les nerfs de Sonia. Elle lui répond à peine, s'imaginant ainsi se débarrasser de lui.

— Quel prof tu as laissé tomber? Gaga? Toussaint? plat en super, lui! Fait chaud, trop chaud pour rester en prison. As-tu vu la moto de Gingras? Super! Le moteur est super chromé, avec des pneus à crampons…

Aux yeux de Sonia, Ben Super-sans-tête est une vraie caricature. Elle se mord les lèvres pour ne pas rire de lui. Au fond, il n'est pas méchant, seulement agaçant. Mais comment faire pour le repousser sans le vexer?

— Viens, lui offre l'adolescent, je te paie un coke avec des frites. Elles sont super, ici.

D'un geste de la main, il lui montre la vitrine d'un petit casse-croûte. Sonia y lance un coup d'œil. Une femme à la peau couleur chocolat au lait, ses cheveux noirs emprisonnés dans un filet, s'agite derrière un comptoir. C'est madame Paul qui est à la fois cuisinière, serveuse et plongeuse… Non, Sonia doit trouver une excuse pour refuser cette offre.

— Je… Je ne peux pas. J'ai un rendez-vous chez le médecin, explique-t-elle soudainement.

— T'es malade! Rien de terrible, au moins? s'informe Ben inquiet.

— Non, non, c'est seulement un examen de routine. J'ai rien, se hâte-t-elle de dire.

— Ah! C'est super, que t'aies rien… Bon, ben, salut. Passe une bonne après-midi! ajoute-t-il avant de s'engouffrer dans le restaurant.

Enfin seule, Sonia presse le pas vers l'hôpital. Un bref regard à sa montre lui indique que l'importun lui a fait perdre une quinzaine de minutes. Elle traverse la rue en courant et se précipite sur la porte d'entrée. Le grand hall est vide. Le gardien n'est pas sur sa chaise. Sonia se dit qu'il est peut-être à sa pause-café. C'est tant mieux pour elle, car pas besoin d'expliquer pourquoi elle est là, où elle va, etc.

Elle reprend le même chemin qu'hier jusqu'à la chambre d'Antoine. Avant d'entrer, elle fait une pause pour se préparer mentalement. Puis, la tête haute, d'un pas décidé, elle s'approche du lit. Antoine est allongé sous ses draps. Les yeux fermés, il semble dormir.

Sonia est décontenancée. Elle croyait se retrouver face à un jeune homme agressif, prêt à lui sauter dessus pour la faire sortir. Mais devant elle, il n'y a qu'un grand adolescent malade, faible et sans défense dans son sommeil. C'est peut-être mieux ainsi. Elle n'a qu'à reprendre son dessin sans le déranger. Oui, mais où se trouve ce fameux dessin? Une jeune fille bien élevée ne fouille pas dans les affaires des autres. Non, elle ne peut pas faire ça.

Antoine tousse un peu et bouge légèrement dans son lit. Sentant une présence auprès de lui, il dit sans ouvrir les yeux:

— Est-ce que je peux avoir de l'eau? Mon pot est vide.

«Il me prend pour l'infirmière, pense Sonia.»

Elle se garde bien de le détromper et va remplir son pichet dans la salle de bains. En revenant, elle lui en sert un verre. Il se tourne vers elle en tendant la main. La surprise l'arrête un bref instant dans cette position, mais sa soif est trop grande. Il accepte l'eau de la jeune fille et l'avale goulûment.

— Merci, murmure-t-il en tentant de s'asseoir.

Avec des gestes maladroits, il cherche à remonter les oreillers derrière lui. Voyant que cela lui est pénible, Sonia vient à sa rescousse et l'aide à s'installer plus confortablement. Elle tourne la manivelle au pied du lit pour le redresser et place les deux oreillers dans le sens de la longueur sous le dos d'Antoine. Pendant tout ce temps, cinq minutes environ, ni l'un ni l'autre n'ont parlé. Ils ont même évité de se regarder. Mais maintenant, qu'ils ont cessé de bouger, ils sentent bien qu'ils doivent se dire quelque chose.

Sonia lève bravement les yeux et commence:

40

— Je suis désolée de t'avoir réveillé, je…

— Pas grave, je dors jamais très longtemps.

Sa voix est douce, un peu triste. Ce ton, totalement différent d'hier, encourage la jeune fille à poursuivre.

— C'est parce que vois-tu, quand je suis venu ici, hier j'ai p…

— Hier j'ai pas été correct. Je le sais. Quand quelqu'un se donne la peine de te rendre visite dans un endroit aussi moche qu'un hôpital, t'as pas le droit de le chasser. Je m'excuse.

La jeune fille est abasourdie. Elle qui s'imaginait devoir baisser la tête sous une pluie de reproches et d'injures, c'est lui qui s'abaisse et désire se faire pardonner. Au fond, il n'a peut-être pas changé, son Antoine? Les yeux ronds, elle le dévisage. Son visage a une forme plus allongée que lorsqu'il est parti, il y a deux ans. Les cernes sous ses yeux bruns lui donnent une allure de chien battu. Il est pâle et frissonne un peu. Il a probablement de la fièvre, sa main était si chaude quand il lui a effleuré les doigts en prenant le verre d'eau.

Sonia oublie pour l'instant la raison de sa visite. Elle s'inquiète de son ami. De quoi peut-il bien souffrir pour être aussi abattu? Elle n'a pas besoin de poser sa question pour qu'il la comprenne.

— Tu te demandes ce que je fais ici, hein?

Le ton d'Antoine est redevenu cinglant. Sa phrase sonne bizarrement. Le jeune garçon le réalise bien, mais trop tard, les paroles sont sorties de sa bouche. Il tente de se reprendre.

— J'ai seulement attrapé un petit virus, souffle-t-il d'une voix qui tremble un peu.

Il fixe obstinément ses orteils qui s'agitent sous le drap, incapable de lever les yeux sur Sonia. Dans sa gorge, il sent une boule qu'il retient en serrant les dents. Poussée par une impulsion subite, la jeune fille lui dit:

— Tu n'aimes pas ça que moi, ou n'importe qui d'autre, vienne te voir, malade?

Il secoue vivement la tête.

— Non, pas vraiment... C'est moins long quand quelqu'un vient passer le temps avec toi.

Un silence pénible s'établit entre eux. Puis, il éclate violemment:

— J'ai juste pas envie d'en parler! C'est juste ça! Pourquoi est-ce que je devrais m'imposer ce supplice-là, par-dessus le marché? C'est déjà assez dur de l'avoir, sans en plus expliquer à tout le monde comment je l'ai eu, pis comment je me sens! C'est déjà assez dur de même...

La toux l'interrompt subitement. Bouche bée, elle tente de comprendre. Qu'a-t-il bien pu attraper pour réagir ainsi? Il la regarde et voit son ébahissement. Apparemment, elle ignore tout. Il se calme un peu et demande:

— Jean-Marc t'a pas raconté?

— Non.

Il sourit tristement et hoche la tête en soupirant:

— J'avais cru que tu venais ici pour voir de tes propres yeux le spectacle de la décadence, de la déchéance humaine... pour te repaître d'une telle vision... pour...

Sa voix a repris une résonance cynique. La colère a réapparu dans son regard. La rage se lit sur son visage. Sonia n'y tient plus et s'exclame:

— Antoine! Antoine! Je comprends rien à ce que tu dis. Tout ce que je sais, c'est qu'avant, t'étais mon ami, que je t'aimais bien. T'avais toujours un sourire ou un mot gentil pour moi, même si j'étais beaucoup plus petite que toi. Mais, depuis hier, tu me regardes comme si j'étais un chien galeux, tu me chasses comme un moucheron, tu me parles comme si tu me haïssais. Je comprends pas moi. Qu'est-ce que je t'ai fait?

Elle est au bord des larmes, ses lèvres tremblent de colère devant cette injustice. Mais, c'est lui qui pleure. Une longue larme coule jusqu'à son menton. Il s'essuie avec la paume de sa main. Lentement, il replie ses jambes et y appuie ses avant-bras. Il cherche les mots pour expliquer, mais c'est si difficile. Elle attend en se mordillant le bout du pouce.

— Désolé, fait-il enfin, désolé. Je me fâche à rien de ce temps-ci. Je ne sais pas pourquoi. Et puis, oui, je le sais, mais ça donne rien d'en parler, puisque ça changera rien. T'es pas si pire que ça, p'tit singe! Je t'aime bien dans le fond.

Comment Sonia doit-elle prendre ces paroles? Quand la gentillesse et l'ironie se mêlent si étroitement, il doit bien y avoir un peu des deux. Elle choisit de n'entendre que le fond d'amitié, puisque par le passé, il n'a toujours eu que de bons sentiments pour elle.

— Moi aussi, je t'aime bien, avoue-t-elle sans arrière pensée. Ça me fait de la peine de te voir aussi malade. J'ai hâte que tu guérisses pour revenir chez nous comme avant.

— Oublie ça. Y aura jamais plus rien comme avant.

Troublée et inquiète, elle pose enfin la question qui la harcèle depuis un bon moment:

— Mais qu'est-ce que tu peux bien avoir pour être comme ça?

— Ce que j'ai ça se dit pas. C'est le genre d'affaire que la famille aime mieux garder secret. On l'attrape, on en souffre, on en crève, mais on n'en parle pas. C'est mieux de même, à ce qui paraît!

— Ça m'avance pas tellement une réponse comme ça.

— Tu veux le savoir? Tu veux vraiment le savoir? Ben... ben, tu le devineras, tiens! Tu es encore à l'âge des jeux? Alors joue aux devinettes! C'est tout nouveau, c'est pire que la peste et c'est un mot de quatre lettres. Y en a justement trois qui se retrouvent dans ton nom. Là-dessus, salut! Je suis fatigué, j'ai besoin de me reposer.

44

Il se tait et lui tourne le dos. Elle comprend bien qu'il en a assez d'elle. Alors, elle le salue et, songeuse, quitte la chambre. Juste avant de s'engager dans l'escalier, elle se rappelle la raison de sa visite: le croquis de Merline. Tant qu'à être ici, aussi bien aller le chercher. Elle revient sur ses pas. En passant devant la chambre voisine de celle d'Antoine, elle entend une voix qui l'appelle.

— Mademoiselle, psitt, mademoiselle...

C'est le vieux monsieur de la veille. Il est encore allongé sur son lit, un journal plié près de lui. D'un geste de la main, il l'invite à entrer.

— Bonjour, chère demoiselle, je vois que vous êtes moins pressée qu'à votre dernière visite. Il n'y a plus personne qui cherche à vous martyriser?

— Mon grand frère n'est pas si méchant que ça, répond-elle en souriant. Vous voyez: il m'a découverte et je suis encore en un seul morceau!

— Il aurait vraiment été dommage qu'il en soit autrement, mademoiselle...?

— Euh... Sonia, se présente-t-elle brusquement.

— Marcel.

Il lui tend gentiment la main, puis il l'invite à prendre un siège. La jeune fille, peu habituée à tant de courtoisie, est légèrement intimidée, mais le sourire amical de l'homme lui rend bien vite sa spontanéité.

— Si je me suis permis de vous interpeller, mademoiselle Sonia, c'est que j'ai beaucoup pensé à vous depuis hier.

— Vraiment? fait-elle intriguée.

— Oh! ne vous méprenez pas sur mes intentions. C'est votre talent hors du commun qui m'a impressionné.

— Mon talent? s'étonne Sonia qui comprend de moins en moins.

M. Marcel sourit davantage et se penche vers la table de chevet. Il retire une feuille de sous un livre et la tend à Sonia qui la reconnaît aussitôt.

— Merline! C'est ici que je l'ai perdue.

— Je ne l'ai réalisé que bien après que vous soyez partie. Vous savez, je ne bouge pas beaucoup à cause de mon état, mais je m'impose au moins une promenade par jour, avant le souper. C'est à ce moment-là que j'ai vu ce magnifique croquis par terre près de ma porte. Et comme vous avez été ma seule visiteuse... j'en ai déduit que cela vous appartenait. Je vois que je ne m'étais pas trompé.

— Oui, c'est ma Merline, mais ce n'est pas moi qui l'ai dessinée. Je ne suis pas assez douée pour ça. C'est Caroline, mon amie, qui a du talent. Je me contente d'inventer les personnages et elle, elle les illustre.

— Vous inventez des personnages! s'exclame le vieil homme, impressionné. Voilà qui est fantastique. Pour cela, il faut que vous ayez

46

beaucoup d'imagination. C'est un talent aussi précieux que celui de votre amie.

Gênée par le compliment qui, au fond, lui fait bien plaisir, Sonia bafouille:

— Je... je ne sais pas si c'est aussi précieux que ça... mais je trouve que ça m'amuse d'inventer des histoires. Même que c'est plus fort que moi. C'est comme si j'étais incapable de m'en empêcher. J'ai toujours plein d'idées dans ma tête!

— Et cette Merline est une de vos idées?

— Oui.

— Je me considérerais comme très honoré, si un jour vous vouliez bien me conter une de vos histoires.

— Vous raconter une de mes idées? s'écrie Sonia. Je ne sais pas... Je veux dire, peut-être que ça ne vous intéressera pas...

— N'en croyez rien. Vous me feriez un cadeau plein de soleil et de jeunesse. C'est très réconfortant pour une personne de mon âge de conserver des liens, des attaches avec un monde dont une soixantaine d'années me séparent. J'ai ainsi l'impression d'être moins près de mon point final.

La jeune fille fronce les sourcils. C'est la première fois que quelqu'un lui parle de la mort de cette façon. D'ailleurs, la mort, elle n'y a jamais vraiment pensé. Elle glisse rapidement sur le sujet et, pour faire plaisir à M. Marcel, elle accepte.

— D'accord, je ne sais pas quand je reviendrai, mais ce jour-là, j'apporterai un de mes textes.

La porte s'ouvre au même instant et une infirmière entre, un plateau à la main.

— C'est l'heure de vos médicaments, annonce-t-elle.

Réalisant la présence d'une visiteuse, elle ajoute en souriant:

— Vous vous êtes fait une nouvelle amie. Vous n'êtes pas un peu trop vieux pour avoir une blonde de cet âge-là?

— Le cœur n'a pas d'âge, mademoiselle Louise, répond-il sur le même ton. Permettez-moi de vous présenter Mlle Sonia «une artiste», Mlle Louise «la plus dévouée des gardes».

— Enchantée, fait l'infirmière.

Sonia répond de même, puis, voyant une seringue sur le plateau, elle décide de mettre un terme à sa visite. Elle n'a jamais apprécié les piqûres.

— Au plaisir de vous revoir, mademoiselle, lui dit courtoisement Marcel. Dites à votre amie, Caroline, que j'admire son talent.

Sonia quitte enfin l'hôpital, partagée entre divers sentiments. Elle pense à ce vieil homme avec sa courtoisie d'un autre âge. Elle revoit Antoine, son ami dont le cœur est triste et amer. Ces deux personnes sont pour elle, le jour et la nuit. En parcourant les rues jusqu'à chez elle, elle cherche la solution de la devinette d'Antoine:

quatre lettres dont trois sont dans son nom. Mentalement, elle aligne le N, le I, le O... puis elle recommence... S A I... encore une fois... S I A... Un nom émerge du fond de sa mémoire. Un nom qu'elle a lu dans les journaux, récemment... Elle frissonne et rejette violemment cette idée. Il y a sûrement une autre réponse à la devinette... O N A... Elle cherche encore quand elle monte les marches du triplex où elle habite.

4

Une parcelle de vérité

Le silence épais, presque irréel, frappe Caroline au moment où elle met les pieds dans la vaste salle. Qui pourrait croire que de l'autre côté de la porte, c'est le chahut quotidien de la polyvalente? Sans bouger, elle glisse son regard entre les rayons meublés de livres pour s'attarder aux larges tables rondes. Sonia n'est pas là. Peut-être est-elle installée à une des petites tables individuelles qui longent la section des encyclopédies?

La jeune fille avance à pas feutrés, se faufile sans bruit derrière des étudiants occupés à choisir des livres et parvient enfin au mur du fond. Son amie est assise devant un gros dictionnaire. Complètement absorbée par sa lecture, elle ne remarque Caroline qu'au dernier moment, quand celle-ci se pousse une chaise près d'elle.

Sonia sursaute et tente de dissimuler une feuille, mais trop tard, Caro a déjà un œil dessus. En pointant du doigt les lettres éparpillées sur le papier, elle chuchote avec un sourire:

— Tu joues au bonhomme pendu?

— Non, pas vraiment, explique maladroitement Sonia. C'est... c'est pour le cours de religion... une idée folle de mon prof.

— Dis-moi ce que tu cherches, d'habitude, je trouve facilement.

Sonia hésite. Elle trouve difficile de parler de cela avec Caroline. Quoique... elle aura peut-être plus de chance qu'elle. Depuis une semaine qu'elle essaie vainement de résoudre la devinette d'Antoine, elle en a assez de se creuser la cervelle. Même le dictionnaire médical qu'elle feuillette en ce moment, ne lui a été d'aucune utilité.

— Bien... il s'agit de trouver le nom d'une maladie composée de quatre lettres. Trois d'entre elles sont dans mon prénom.

Caroline s'empare du crayon de sa copine et, après un bref «C'est amusant, ça», griffonne rapidement en se mordant les lèvres pour mieux réfléchir. «Tant mieux pour elle si ça l'amuse, songe Sonia en soupirant, moi, j'en ai plein mon casque de chercher.»

Elle repense aux derniers jours qui viennent de s'écouler. Elle n'a pas revu Antoine depuis mercredi dernier. Comment aurait-elle pu retourner le visiter, sans la réponse à son énigme? En six jours, elle n'est pas plus avancée qu'à sa dernière rencontre. Elle aurait pu demander à son frère de lui expliquer de quoi souffre Antoine, mais lui aurait-il dit? C'est peu probable. Jean-Marc est plutôt discret sur son ami.

«A-t-il peur que je le lui vole? Il n'a aucune inquiétude à se faire à ce sujet. Avec son sale caractère qui voudrait de lui! Ce n'est pas parce qu'on est malade, qu'il faut être désagréable! Plus bête que ça, tu meurs…»

— Eurêka! murmure Caroline. C'est le sida!

— T'es folle! C'est impossible, s'écrie involontairement Sonia.

Quelques têtes se tournent en sa direction. Leurs regards indiquent clairement que la bibliothèque n'est pas un endroit pour crier ou s'exciter. Gênée, Sonia baisse le nez. Caro lui fait des yeux ronds.

— D'accord! ce n'est pas ça, mais tu n'es pas obligée de m'insulter. Si tu es si fine, trouve-le toute seule.

— Ce n'est pas ce que je voulais dire. Seulement, le sida… c'est une maladie beaucoup trop grave. Ça n'a pas d'allure.

— Peut-être bien, mais ce sont les seules lettres qui fonctionnent, réplique Caro en se levant. Faut que je parte, salut!

Elle lui tourne le dos brusquement et s'éloigne en vitesse.

— Ce qu'elle peut être susceptible, ronchonne Sonia. Le sida, c'est une maladie d'adultes et de tapettes. Rien à voir avec Antoine.

Cette conclusion, elle se l'est dite mercredi soir dernier en revenant de l'hôpital, et elle l'a classée dans un coin de son cerveau, dans un petit tiroir fermé à double tour. Et voilà que son amie, bien innocemment, en a forcé la serrure. Il est maintenant impossible à Sonia de le refermer. Cette réponse ressemble à un gros chandail de laine, noir, qui déborde de son tiroir et qui l'agace. Elle voudrait s'en débarrasser, le repousser dans sa cachette ou le rejeter au loin.

Fébrilement, elle ramasse ses affaires et se dirige hors de la bibliothèque. Le tourbillon des jeunes l'attend à la sortie. Chacun, seul ou en petits groupes, se rend vers le local du prochain cours. Elle fait quelques pas en direction de l'escalier, puis se ravise. Elle entre dans le vestiaire et prend dans sa case, le texte des «Merveilleuses aventures de Merline». Elle n'oublie pas les illustrations de Caroline. Puis elle quitte la polyvalente.

Elle a déjà trop attendu, et ce n'est pas dans sa nature. Elle veut savoir, maintenant, ce qui retient Antoine à l'hôpital. D'un pas décidé et pressé, elle s'y rend. Le jeune homme n'aura pas le choix, il faudra bien qu'il lui dise clairement ce qu'il a. Tant pis, s'il est malcommode. Elle n'a pas peur de lui.

En passant devant le gardien, celui-ci la salue d'un hochement de tête. Il se souvient d'elle. Les jeunes de son âge qui viennent ici, sont assez rares. Il ne lui pose aucune question, il n'a pas envie de savoir à qui elle rend visite. Cela ne le concerne pas. Tout ce qui lui importe, c'est de préserver la tranquillité des lieux.

Cette fois, Sonia se paie le luxe d'emprunter l'ascenseur. L'escalier de service n'est utile que lorsque l'on se sent un peu «clandestin». Ce n'est plus son cas. M. Marcel l'a formellement invitée à revenir. C'est d'ailleurs chez lui qu'elle se rend en premier.

Sourire aux lèvres, elle entre dans la chambre. Le vieil homme est allongé sous ses couvertures et dort paisiblement. La jeune fille aperçoit, fixé à son bras, un tube transparent qui remonte jusqu'à une poche plastifiée. Un liquide jaunâtre coule goutte à goutte pour le bien-être du patient. Toujours aussi mal à l'aise à la vue des équipements médicaux, elle retourne vivement dans le couloir. Sa belle assurance vient de fondre. Les événements ne se déroulent pas comme prévu. Elle ne pourra pas lire son histoire à M. Marcel. Cela sous-entend qu'elle devra revenir une autre fois, si elle veut tenir sa promesse.

Et Antoine? Il dort peut-être lui aussi. Elle s'approche en silence de sa chambre. La porte est grande ouverte et elle peut le voir, assis dans l'unique chaise, faisant face à la fenêtre. Il est perdu dans ses rêveries. Son visage est calme et détendu. Dehors, avril a cédé sa place à mai, et son bénéfique soleil réchauffe Antoine à travers la vitre. Il a la tête renversée par derrière et ses cheveux emmêlés pendent par-dessus le dossier. Ses pieds sont appuyés sur le mur devant lui et ses doigts tambourinent délicatement sur ses genoux.

Sonia a le vague sentiment qu'elle ne devrait pas le déranger. Il a besoin de repos et de calme, pas de se faire questionner par une personne trop curieuse. C'est la première fois qu'elle réalise qu'elle se mêle de ce qui ne la regarde pas. Laquelle de ses deux petites voix intérieures doit-elle écouter? Celle qui lui suggère de quitter ces lieux et de ne pas harceler son ancien ami? Ou celle qui l'incite à toujours en savoir davantage? Les yeux rivés sur ses vieux souliers de course au cuir usé, elle oscille entre les deux.

Avant qu'elle n'ait pu résoudre son épineux problème de conscience, une voix la taquine:

— Est-ce que tu attends de prendre racine ou bien es-tu à la recherche de bestioles à pattes multiples?

Elle lève subitement la tête pour croiser le regard ironique d'Antoine. Il n'a bougé que très légèrement son visage en sa direction et c'est du coin de l'œil qu'il l'examine. Puis, sans attendre sa réponse, il poursuit:

— Désolé, mais je n'ai pas d'autre chaise à t'offrir. Si tu veux t'asseoir, prends le lit.

Sans dire un mot, elle s'y hisse avec des gestes délicats, comme si elle avait peur de froisser les draps. Avec ses pieds, Antoine pousse sur le mur pour tourner la chaise vers elle. Il l'observe encore avec son drôle de sourire. Pour dissiper sa gêne, elle parle la première.

— Tu as l'air d'aller mieux, aujourd'hui!

— Les médecins appellent ça une rémission. Faut pas t'en faire, c'est seulement passager. D'ici un jour ou deux, je serai aussi malade qu'avant, pire même... Sais-tu que tu es plus brave que je pensais? Revenir me voir maintenant que tu es au courant. Faut le faire! Y a pas à dire, toi et ton frère, vous avez beaucoup de courage... ou bien vous êtes complètement inconscients... Tellement de gens passent devant ma porte sans oser entrer. Le sida, c'est pire que la peste!

Sonia baisse la tête pour cacher son trouble. Le sida! Caro et elle avaient bien découvert le nom de la maladie. Dans la tête de l'adolescente, le chandail de laine noir bascule du tiroir et se gonfle comme un coussin d'air pour prendre tout l'espace disponible dans son crâne, bousculant et écrasant tout le reste. Le sida! Cette horreur, elle a peine à y croire.

— Tu peux partir si tu veux, reprend Antoine sur un ton plus amical. Y a rien qui t'oblige à rester.

C'est mal connaître Sonia, elle n'est pas du genre à abandonner quelqu'un qu'elle aime. Elle fait front et c'est la tête haute qu'elle rejette l'offre.

— Pas question! Personne ne m'a traînée de force ici. Je partirai quand je voudrai!... ou quand tu seras fatigué, ajoute-t-elle très vite.

Ces quelques mots vont droit au but. Antoine ressent une petite bouffée de chaleur au creux de sa poitrine. Il y a si peu de gens qui l'ont traité en être humain ces derniers temps qu'il en a perdu l'habitude. Il a l'impression que, pour la plupart des infirmières, les patients ne sont que des objets animés de vie qui devraient souffrir à heure fixe (celle des médicaments), manger aux heures réglementaires et dormir toute la nuit (de force s'il le faut). Pour les médecins, c'est pire: un malade égale une fiche gribouillée à la hâte. Côté visiteur, à part le fidèle Jean-Marc et son père, personne ne s'est déplacé pour lui...

Il s'agite sur sa chaise et cherche un sujet de conversation. N'importe quoi plutôt que de parler de sa santé. Il aperçoit le duo-tang que Sonia tient à la main.

— Pas trop de devoirs à faire à la maison? demande-t-il en le pointant du doigt.

— Non, c'est pas du travail pour l'école. C'est quelque chose que j'ai écrit, comme ça, pour le plaisir de l'écrire.

— C'est vrai, je me rappelle que, dans le temps, tu te promenais partout avec un crayon et un cahier pour noter des histoires que t'inventais. T'as pas changé!

— La seule différence, c'est que maintenant, j'ai déniché quelqu'un pour illustrer mes histoires. Regarde!

Elle aussi veut éviter, pour l'instant, de parler de la maladie d'Antoine. Alors, elle ouvre le duo-tang et étale devant lui, les différents croquis de Caroline. Il y en a une dizaine qui se rapportent aux aventures de Merline. Son texte aussi a pris du poids. Elle l'a enrichi de plusieurs mésaventures et incidents épiques. Antoine admire les dessins et s'empare des feuilles que Sonia a recopiées pour Caroline. À haute voix, il lit le début tout en l'agrémentant de ses commentaires narquois. Puis, il saute quelques paragraphes et reprend sa lecture de la même façon. Il recommence ainsi à plusieurs reprises et, finalement, il rend le manuscrit à Sonia.

— Pas mal pour une débutante. C'est amusant, quoique un peu empesé.

— Empesé?

— Oui, comme si c'était pris dans un moule. Comment dire? Stéréotypé. C'est une histoire d'aventure au moyen-âge comme toutes les histoires d'aventure de cette époque-là. C'est quand même bien. Les dessins aussi sont beaux, continue-t-il en les feuilletant, mais ils ont le même défaut. Ils sont trop fidèles à l'image que l'on se fait des châteaux et des chevaliers. Ils manquent… d'originalité.

— T'es pas mal difficile! s'exclame Sonia.

L'adolescent éclate de rire et admet:

— C'est vrai. J'ai toujours eu un goût un peu bizarre. J'aime ce qui est spécial, ce qui sort de l'ordinaire… comme ce dessin.

Il prend une illustration légèrement différente des autres. Elle est travaillée au fusain et représente Merline, sans atours, les cheveux légèrement au vent. Les traits du visage ne sont pas nettement définis. Caroline maîtrise encore mal la technique du fusain. Pourtant, en la regardant de loin, l'image est jolie. On pourrait presque croire qu'il s'agit de Sonia.

— À mon avis, c'est plus simple et meilleur, explique Antoine.

— Tous les goûts sont dans la nature. Moi, je trouve ça fade. Je te la donne, si tu veux.

— Vrai! merci.

Il tente vainement de l'appuyer contre le mur sur la table de chevet, mais elle ne tient pas. Ce petit geste fait réaliser à Sonia la nudité des murs. Elle ne peut s'empêcher de dire:

— Ça manque de décoration ici! Le dessin irait bien juste au-dessus de ton lit. Tu devrais mettre des posters, ça ferait plus gai.

Le visage d'Antoine se referme. La gaieté, il n'en a rien à faire. Gaieté signifie joie de vivre. Pour le temps qu'il lui reste!

— Aucune importance! Décoration ou non, ça changera rien.

Sa voix est rauque, dure. Sa bouche sourit avec mépris. Ce changement subit d'attitude étonne Sonia. Qu'a-t-elle bien pu dire pour lui être désagréable?

— Je ne voulais pas mal faire en disant ça, s'excuse-t-elle. Je pensais seulement que tu aimerais avoir...

Antoine s'écrie violemment:

— Ce que j'aimerais!... J'aimerais qu'on cesse de penser à ma place! Qu'on arrête de vouloir des choses pour moi, pour mon bien! C'est pour mon bien que ma mère m'a renvoyé chez mon père! C'est pour mon bien que mon père m'a placé à l'hôpital! C'est pour mon bien que je vais finir mes jours ici, entre ces quatre murs vides. Mais ce que je veux vraiment, personne veut le savoir... C'est bien plus simple d'imaginer ce dont j'ai envie, de choisir pour moi. La seule question que je me pose, c'est: est-ce qu'ils font ça parce que je suis trop jeune ou parce que je suis trop malade pour prendre une décision?

Il enfouit rapidement son visage sur ses jambes pour tousser. Une toux forte et prolongée qui le secoue entièrement. Il a trop crié et a réveillé en lui la pneumonie qui lui laissait un peu de répit depuis ce matin.

Une infirmière (celle que M. Marcel a présentée à Sonia la semaine dernière) entre en coup de vent dans la chambre.

— Qu'est-ce qui se passe ici? gronde-t-elle doucement. Tu sais bien que tu dois te reposer. Il ne faut pas te mettre dans un tel état. Allez, allonge-toi dans ton lit et cesse de t'énerver ainsi. Ça ne t'avance à rien.

Antoine regarde Sonia et lui dit d'une voix ironique où perce une pointe d'amertume:

— Tu vois? Même elle, elle pense à mon bien. Je dois être reconnaissant pour toute cette bienveillance manifestée à mon égard. Vous voulez mon bien, vous l'avez. Le seul bien qui m'importait, mon autonomie, mon indépendance, tout le monde l'a prise... Qu'est-ce qui me reste?

D'un geste autoritaire, la garde soulève les draps et indique à l'adolescent de se coucher. N'ayant pas envie de discuter avec un tel bougon, elle préfère se taire. Pourtant, il n'y a aucune agressivité dans son attitude. Elle installe confortablement son patient. Sonia a l'impression qu'elle le borde comme une mère. Une mère un peu rude, décidée, mais qui ne manque pas d'affection.

Avant de sortir de la chambre, elle dit à la jeune fille qui s'est réfugiée dans un coin, près des fenêtres:

— Il vaudrait mieux ne pas le fatiguer plus longtemps.

Puis, elle disparaît sans attendre la réponse. Antoine n'est pas son seul malade et son temps est compté.

— Trois petits tours et puis s'en vont! murmure Antoine. L'infirmière est apparue avec sa compétence, elle a exécuté son travail avec diligence et elle s'en fut comme elle était venue. C'est pas merveilleux, la magie de la science médicale? Et n'oublie pas, p'tit singe, qu'il faut avoir en la médecine une foi sans bornes! Les médecins et les infirmières sont les possesseurs de la connaissance suprême et toi, tu n'es que l'ignorance crasse.

— Tu n'exagères pas un peu?

— Pas du tout! Tu n'as pas remarqué? Ce que je peux dire ou ressentir, n'a absolument aucune importance. Ce qui compte, c'est le chiffre sur le thermomètre ou le rapport du radiologiste. Quand tu mets les pieds dans un hôpital, oublie que tu es un homme, une femme ou un enfant, tu deviens un patient. Et, crois-moi, ta patience, ils en abusent...

Sonia s'approche de lui et s'appuie contre le lit. Sans dire un mot, elle l'observe. Elle souhaite ardemment qu'il guérisse et sorte de cet endroit qui le rend si agressif. Il serait beaucoup mieux à la maison. Elle en est convaincue.

— Puisque tu te sens mieux depuis quelques jours, tu vas bientôt sortir d'ici. Tu pourrais rester chez nous. Ma mère n'y verrait pas d'objection. Je peux lui en parler, si tu veux.

Antoine la regarde, étonné, choqué.

— T'as pas l'air de comprendre, p'tit singe, je suis ma-la-de, dit-il enfin en appuyant sur les mots. C'est moins pire, mais c'est seulement passager. Ah! J'ai déjà eu des rémissions qui ont duré plusieurs semaines, des mois, même. Mais plus maintenant!... Regarde-moi! J'ai maigri de vingt livres et j'étais déjà pas gros. D'ailleurs, j'ai déjà recommencé à avoir la diarrhée. Ils ne peuvent pas me laisser sortir.

— Mais... les médecins, ils ne peuvent rien faire pour toi? Il y a sûrement des médicaments, quelque chose. Je sais pas moi...

— Tu n'es pas toute seule à ne pas savoir. Eux non plus! Oh! Ils essaient des nouveaux produits, mais... Peut-être un jour, ils trouveront la solution. Peut-être bien.

Ces dernières paroles rassurent Sonia. Son ami va guérir, il le faut. On ne peut quand même pas mourir à dix-sept ans. Elle élimine bien vite cette possibilité.

— Si tu veux, demain, je t'apporterai du papier collant pour installer le dessin sur le mur. Est-ce qu'il y a autre chose que tu aimerais avoir? De la musique? Je peux te prêter mon baladeur et des cassettes.

— Ce n'est pas une mauvaise idée, mais pas trop de rock. J'aime mieux le blues.

— Autre chose avec ça? Des livres? De la réglisse?

— Non, rien à manger, dit Antoine en souriant.

Ils se taisent quelques secondes. Chacun est figé dans une attitude qui semble fausse. Cette situation devient trop pénible pour l'adolescent qui y met fin en prenant pour excuse sa fatigue.

— Bon, je reviendrai demain, se hâte d'accepter Sonia. Salut!

En quittant la pièce, Antoine la rappelle pour lui demander de ne rien dire à sa mère. La jeune fille est d'accord avec lui, il vaut mieux qu'elle n'en sache rien. Sonia pense que puisque Antoine va guérir, il est vraiment inutile d'inquiéter sa mère avec ça.

5

Tout pour
faire plaisir

Jean-Marc pose le pied dans une flaque
d'eau, mais il le remarque à peine. La pluie
tombe dru et le jeune homme se hâte d'atteindre
le coin de la rue. Il en est à quelques pas quand
un autobus passe sans s'arrêter.

— Merde! bougonne-t-il.

Il sait bien que le prochain n'arrivera que
dans vingt-cinq minutes. Il va donc lui falloir se
taper quinze minutes de marche sous la pluie
battante avec son colis encombrant sous le bras.

Il peste intérieurement contre sa sœur. Il se demande comment il a bien pu se laisser entraîner par elle. Au départ, l'idée lui avait semblé excellente. Leur ami Antoine s'ennuie à l'hôpital, c'est évident, et pour le distraire, elle a suggéré de lui prêter leur Nintendo. Sans le dire à leur mère, il va de soi. La petite phrase qu'elle lui avait dite, lui revient à l'esprit:

«Maman ne s'en apercevra pas, elle ne joue jamais avec! Et puis, si elle s'en rend compte, je lui dirai que je l'ai amené chez Caro et que je vais jouer avec elle après la classe. Parce que Caro, elle ne peut pas venir ici, vu qu'elle garde sa petite sœur jusqu'à l'heure du souper! Ça va passer comme du beurre dans la poêle, pas de problème!»

«Pas de problème! songe Jean-Marc en soupirant. Pour elle, peut-être! Ce n'est pas elle qui est prise pour traîner le jeu à l'hôpital. Maudite pluie! J'ai l'air d'un phoque qui sort de son bain. On aurait pu attendre à demain, ça aurait fait pareil. Non! Mme Sonia a toujours raison. C'était tout de suite, aujourd'hui, ça pressait... Un jour de plus ou de moins, je te jure!»

Et pourtant, malgré la pluie qui n'a pas cessé de tomber depuis ce matin, Jean-Marc a accepté de partir de l'école après les cours pour aller chercher le jeu, pendant que Sonia se rendait directement à l'hôpital. Il l'a accepté parce qu'il sait bien, au fond de lui, qu'une journée de plus

68

ou de moins, ça fait une grosse différence pour son ami.

La plupart du temps, il s'efforce de ne pas y penser, mais c'est difficile. Au début, Jean-Marc avait commencé par nier l'évidence, c'était impossible. Il se disait que les médecins avaient dû faire une erreur de diagnostic, les tests étaient mauvais. Il avait même incité son ami à changer de médecin. Antoine avait refusé parce qu'il l'avait déjà fait à deux reprises.

Alors, Jean-Marc s'était fâché contre la médecine incapable de guérir son ami, contre la vie qui finit toujours par la mort, contre la malchance... Il en avait parlé avec Antoine, comme ils se sont toujours parlé depuis qu'ils se connaissent, sans rien se cacher. Il avait réalisé que ses pensées, ses sentiments, sa révolte correspondaient à ceux d'Antoine. Ça n'avait pas été facile au début d'aborder le sujet, mais plus les mots sortaient, plus ils se sentaient soulagés. Cela les avait apaisés pour un certain temps, malheureusement l'irritation reprenait régulièrement le dessus. Pourquoi lui? Pourquoi pas n'importe quel vieil imbécile qui encombre le monde et qui ne serait une perte pour personne? Antoine était jeune, plein de rêves futurs. D'un seul coup, son avenir se trouvait projeté en l'air par une chiquenaude du destin.

C'est pour tout cela que Jean-Marc a accepté l'idée folle de sa sœur, malgré la pluie, malgré le mensonge à sa mère, malgré son chagrin. Il veut apporter à son ami un peu de joie pour ses derniers moments. Il revoit le sourire de gratitude de Sonia quand il a dit oui. Sonia! Comprend-elle vraiment à quel point Antoine est atteint. Il en doute. Elle est encore petite et ne sait pas grand-chose de la vie et de ses problèmes. Il l'envie un peu, il y a des réalités qu'il aimerait bien ignorer.

La tête baissée pour éviter la pluie qui lui fouette le visage, il marche d'un pas décidé vers l'hôpital. Il en pousse la porte d'entrée et salue brièvement le gardien. Celui-ci lui lance une réflexion sur la température et les canards. Jean-Marc sourit et approuve avant de prendre l'ascenseur. Ses cheveux et ses vêtements, complètement trempés, lui collent au corps. L'eau dégouline sur son visage, coule sur le dos de sa veste de cuir, moule son jean tout contre ses jambes et se répand par terre autour de ses pieds. À chaque fois qu'il dépose un soulier sur le plancher, il en écrase la semelle et sent l'eau qui lui remonte entre les orteils.

Il entre dans la chambre d'Antoine. L'endroit est méconnaissable. Sonia qui est arrivée bien avant lui, a transformé la pièce froide et dénudée en chambre accueillante. Des illustrations et des décorations en céramique ornent les murs, divers petits objets en poterie sont placés sur le rebord de la fenêtre ainsi que sur la table de chevet.

— Où as-tu trouvé tout cela? s'exclame Jean-Marc.

— Salut, ça te plaît? demande Sonia en ignorant la question de son frère.

— Oui, quoique ça fait un peu chargé. Où as-tu pris toutes ces choses?

— Chargé? Il y en a peut-être un peu trop, mais c'était pour qu'Antoine choisisse, dit-elle en évitant encore de répondre.

Elle n'a pas vraiment envie de leur expliquer que tous ces objets sont un don de son professeur d'art. Celui-ci, s'imaginant que la jeune fille veut décorer une salle étudiante, lui a aimablement offert de choisir ce qui lui plaît parmi les œuvres non réclamées des années antérieures.

— D'accord, mais comment as-tu eu ça? insiste Jean-Marc que la pluie a rendu impatient.

— Ah! C'est mon secret.

Antoine, assis en indien dans son lit et qui n'a pas encore parlé, ricane de ce début de dispute. Il a depuis longtemps l'habitude de les voir se quereller pour un oui ou pour un non. Étant fils unique, il n'a pas la chance d'avoir une petite sœur à taquiner, alors, il se contente d'observer les autres.

Jugeant qu'il va se rendre ridicule à persévérer dans ses questions, Jean-Marc se tourne vers son ami et change de sujet.

— Je t'ai apporté ce que mon énigmatique sœur m'a demandé.

— Qu'est-ce que c'est? fait Antoine intrigué par le gros sac de poubelle que son ami dépose avec précaution sur le sol.

— Ça, c'est mieux qu'un secret, c'est une surprise! s'écrie joyeusement Sonia.

Sans attendre, elle se précipite sur le sac et se débat avec le nœud. Jean-Marc la laisse faire et entre dans la salle de bains. Il en ressort, une serviette sur la tête qu'il éponge consciencieusement. De pouvoir se sécher, lui rend un peu de sa bonne humeur.

— Alors, mademoiselle «les doigts de fée», on ne parvient pas à ouvrir le sac?

— Quelle espèce de nœud de fou, tu as fait?

— C'est un nœud de scout! réplique-t-il en se plaçant au garde-à-vous. Scout un jour, scout toujours!

— Idiot, tu n'es jamais allé chez les scouts. Ah! je l'ai. Adadammm…! lance-t-elle en exhibant enfin le jeu.

Antoine en reste bouche bée. Il semble perplexe et embarrassé. Une phrase résume sa pensée:

— Comment pensez-vous installer ça, ici?

— Avec ceci! explique Jean-Marc en sortant de sa poche un tournevis avec un gros manche rouge. C'est pas compliqué.

Sans en dire plus, il s'approche du téléviseur loué et se met à l'œuvre. Pendant ce temps, Sonia sort du sac les différentes manettes ainsi que quelques cassettes qu'elle montre à Antoine. Ce qui embête le plus le jeune homme, c'est l'implication de ce prêt. Il ne s'agit pas d'un simple livre, mais d'un objet d'une valeur monétaire relativement élevée. La mère de ses amis n'a jamais été très riche, il le sait. Pour elle, ce jeu représente probablement une part importante de son salaire.

— Qu'est-ce qu'elle a dit, ta mère, pour le Nintendo?

— On ne lui en a pas parlé. Tu ne voulais pas qu'on lui dise que tu es ici, réplique vivement Sonia. T'occupe pas, elle ne saura rien.

— Aucun problème, renchérit Jean-Marc. Si elle pose des questions, on va s'arranger avec elle.

Antoine est de plus en plus mal à l'aise. Il voudrait bien se sentir reconnaissant envers Sonia et Jean-Marc, mais mentir à Mme Pelletier le trouble. Il n'a d'elle que de bons souvenirs. Toujours souriante et gentille, elle n'hésitait pas, quand ils étaient plus jeunes, à passer de longues heures au parc avec eux, à partager leurs jeux, à prendre le temps de s'asseoir pour les écouter. Ses réflexions sont interrompues par Jean-Marc qui a réussi à brancher l'appareil et qui lui demande de l'essayer. Sans même regarder ce qu'il choisit, Antoine prend au hasard une cassette qu'il insère dans le jeu. Tout semble bien fonctionner.

Trois petits coups sur la porte font sursauter les adolescents. C'est une infirmière que Sonia ne connaît pas. Toute menue, ses cheveux noirs bien fixés derrière la tête, elle a tous les traits d'une Asiatique. D'une petite voix douce et polie, elle demande à la jeune fille si elle veut bien rendre visite au vieil homme de la chambre voisine. M. Marcel serait enchanté si elle acceptait cette invitation.

— Oui, bien sûr, acquiesce Sonia. J'arrive dans une minute.

Avant de se retirer, l'infirmière lance un regard à Jean-Marc et lui suggère de se sécher davantage, sinon il sera malade. Puis, d'un rapide coup d'œil, elle voit le jeu vidéo, sourit de cette initiative et sort silencieusement.

Antoine émet un long sifflement et se moque de Sonia:

— Tu ne perds pas ton temps, p'tit singe. C'est à peine ta quatrième visite et tu as déjà un petit ami! Je vois que tu as un faible pour les hommes mûrs, un peu grisonnant sur les tempes. À moins que ce ne soit son argent que tu convoites?

— Oh! Antoine! Ce que tu peux être bête, se choque-t-elle sous les rires moqueurs des deux garçons. Tant pis! Vous n'êtes pas assez fins, ni l'un ni l'autre, je ne vous dirai pas qui c'est.

— Ça fera seulement un secret de plus, remarque Jean-Marc. On commence à être habitué.

Elle hausse les épaules d'un air dédaigneux, agrippe son sac d'école et quitte les deux adolescents. Ils peuvent bien rire d'elle, ça lui est bien égal. Elle a mieux à faire que de se préoccuper de leurs taquineries. Un monsieur, plus gentil et plus civilisé qu'eux, la demande. La porte de sa chambre est ouverte. L'infirmière aux yeux bridés, debout près du lit, vérifie le pouls de son patient. Celui-ci est encore attaché à une poche de soluté.

Sonia fait un effort sur elle-même pour ne pas retourner dans le corridor. S'il fallait que Jean-Marc et Antoine la voient revenir aussi vite, ils ne manqueraient pas de la ridiculiser. Elle respire profondément et attend que la garde ait terminé son travail. En sortant de la chambre, celle-ci murmure à Sonia:

— Il est très faible, mais comme il insiste vraiment pour vous voir, allez-y. Si vous sentez qu'il se fatigue ou qu'il s'endort, laissez-le.

L'infirmière s'éclipse et Sonia s'approche du malade. Il est pâle et d'une maigreur à faire peur. Il semble incapable de bouger. Si ce n'était sa respiration qui est lente et difficile, on pourrait croire que le vieil homme est mort. La jeune fille est prise de panique devant cette souffrance muette, elle qui supporte mal la douleur. Elle esquisse un geste pour s'enfuir, mais la voix chaude et invitante de l'homme la fige sur place:

— C'est bien vous, mademoiselle Sonia?

Il ouvre les yeux. Son regard semble sonder le sien. Il lui sourit avec tant de joie évidente qu'elle en fait autant. Elle se rassure rapidement, si c'était grave, il ne sourirait pas. Elle hoche la tête:

— Oui, c'est bien moi. Quand je suis venue, hier, vous dormiez, alors je n'ai pas voulu vous déranger.

— C'est vrai, je dors beaucoup ces derniers temps. Mais pour l'instant, je suis bien éveillé et j'apprécie à sa juste mesure le temps que vous voulez bien me consacrer.

Le débit de sa voix est lent, mais le ton est toujours aussi poli et agréable. Une petite lueur de joie semble briller au fond de ses yeux. Sonia retrouve l'ambiance amicale et complice qui s'était créée à leur première rencontre. Cela l'encourage à faire des confidences.

— J'ai continué à écrire depuis la dernière fois que l'on s'est vu. Et j'ai d'autres dessins à vous montrer.

Elle sort de son sac les croquis de Caroline et les lui tend. Les mains du vieil homme tremblent en soutenant les feuilles à hauteur de son visage. Il s'épuise rapidement et repousse les dessins.

— Ils sont magnifiques, vraiment! Votre amie devrait développer son don. Ce qui m'intéresse davantage, c'est votre talent à vous. Je... Enfin, si ça ne vous force pas, je suis toujours prêt à vous écouter...

Sonia est gênée, mais accepte. M. Marcel devient la troisième personne, après Caro et Antoine, à qui elle lira une de ses inventions. Elle tire son cahier noir de son sac et s'installe confortablement dans la chaise située sous la fenêtre. Elle tousse un peu pour s'éclaircir la voix et, avec les intonations appropriées, récite son texte.

M. Marcel écoute avec attention, même s'il ferme les yeux. Il dodeline doucement de la tête, au rythme des paroles de la jeune fille. Il l'arrête parfois pour lui faire reprendre un passage qu'il aime bien. Il l'interrompt aussi pour glisser quelques commentaires discrets sur son style et la façon de l'améliorer. Sonia note mentalement ses suggestions qui ne ressemblent en rien à celles que pourrait lui faire son professeur de français. Elle parvient ainsi jusqu'à la fin de l'histoire de Merline.

— Voilà, c'est fini, dit-elle en guise de conclusion.

Il applaudit lentement avec ses mains et lui exprime sa reconnaissance:

— Merci, c'était magnifique. Vraiment, je suis sincère. Vous avez été bien aimable d'accorder ainsi une dernière faveur à un vieux monsieur comme moi. La vie vous le rendra. Souvenez-vous-en, un bien n'est jamais perdu. Il se répercute dans l'univers, tel un boomerang, pour nous revenir au moment où l'on s'y attend le moins.

— C'est la première fois que j'entends cette expression. Elle est amusante.

— Elle est surtout vraie. Parole d'un vieux fou!

— Vous n'êtes pas fou! rétorque Sonia, surprise par cette remarque.

— Et qu'en savez-vous, jeune demoiselle? Vous ignorez tout de moi et des soixante-douze ans que j'ai vécus. Et pourtant, vous avez montré plus d'attention à mon égard et plus de diligence à exaucer un de mes souhaits que plusieurs personnes de mon entourage. C'est méritoire.

— Non! C'est parce que... parce que je vous trouve gentil et moderne... Oui, malgré votre âge, vous être plus ouvert que bien des adultes de vingt ou trente ans. C'est peut-être aussi, parce que tous les deux, on aime les livres et les histoires. On a un point en commun et...

Sonia se tait car l'homme grimace soudainement. Il respire plus vite comme pour chasser une douleur. Le souffle coupé, il chuchote:

— Je crois... malheureusement que... nous devons mettre un... terme à cette conversation. Voulez-vous appeler la garde pour moi? Merci encore.

Sonia le salue brièvement et court dans le couloir à la recherche d'une infirmière. Elle trouve finalement celle qui a réprimandé Antoine, hier, dans une petite salle vitrée au bout du corridor. Après lui avoir exposé la requête de M. Marcel, elle retourne dans la chambre d'Antoine. Il est seul, occupé à combattre un adversaire redoutable dans un match de tennis électronique.

— Jean-Marc n'est pas là? s'informe-t-elle.

— Non, il est parti. Il commençait à avoir froid avec ses vêtements mouillés, répond le jeune homme sans quitter l'écran des yeux.

L'adolescente observe le jeu de son ami pendant quelques instants, puis elle ramasse ses affaires pour quitter l'hôpital. Elle ressent le besoin de prendre de l'air, de s'éloigner de cet endroit hanté par la souffrance d'autrui.

— Merci, p'tit singe, lui lance Antoine en la voyant partir. Compte pas les tours, je ne suis pas tellement «sorteux».

6

Contact

N'ayant pu trouver son amie dans la ca-
fétéria, Sonia se faufile entre les joueurs de
ping-pong et leurs supporteurs qui occupent tout
le fond de cette grande salle, avant d'atteindre
la porte du café étudiant. À l'intérieur, nulle
trace de Caroline. Sonia se dirige donc vers le
corridor des petites salles réservées aux activités
para-scolaires.

Les rires de plusieurs jeunes la guident au
029, le local du fond. Caro est bien là, ainsi que
Ben «Super-sans-tête», Geneviève, Alice, Marco,
Pierre et un autre garçon que Sonia ne connaît

pas. Ils ont l'air de tellement bien s'amuser qu'elle n'ose pas entrer. C'est Ben qui remarque le premier sa présence.

— Salut, Sonia! C'est super! Viens t'asseoir.

Joignant le geste à la parole, il tire une chaise près de lui à la grande table où ils sont tous installés. Des sourires approbateurs l'incitent à accepter le siège. Il n'y a que Caroline qui évite son regard. Il est évident qu'elle ne lui a pas pardonné sa conduite d'avant-hier. Sonia s'en veut d'avoir été si brusque avec elle, mais elle croit avoir quelque chose qui vaut mille excuses: un amoureux pour Merline. En lisant son texte à Marcel, elle a réalisé qu'il y manquait effectivement un petit côté romanesque. Elle a donc inventé un nouveau personnage, jeune, mystérieux et intriguant, dont Merline tombera amoureuse... Elle en est convaincue, cela plaira à Caro, quand elle cessera de la bouder!

Alice, une Haïtienne à la voix chantante, explique que le groupe a décidé de créer un journal-souvenir pour la fin de l'année.

— Il faudrait d'abord savoir à quoi on veut qu'il ressemble ce journal, l'interrompt Marco en roulant ses «r» d'une façon très prononcée.

Sonia observe à la dérobée sa peau foncée et ses cheveux noirs très raides, et se demande de quel pays de l'Amérique du Sud, il est natif? Il le lui a déjà dit, est-ce l'Argentine ou la Bolivie? À moins que ce ne soit le Pérou? Une voix inconnue la rappelle à l'ordre.

— Il ne reste même pas deux mois avant les vacances d'été, c'est très court. Si on veut sortir notre papier à temps, il faut planifier tout de suite le travail de chacun. D'abord, il nous faut l'autorisation d'utiliser la photocopieuse du secrétariat et demander s'il y aura des frais. Qui veut s'en charger?

Cet adolescent, dont Sonia ignore encore le nom, lui semble bien organisé et bien organisateur! Son attitude de commandant en chef lui déplaît un peu. Pourtant, les autres membres du groupe n'ont pas l'air incommodés par sa manière d'agir. Au contraire, ils semblent soulagés que quelqu'un décide pour eux, leur facilitant ainsi la tâche.

Geneviève s'offre pour la démarche auprès de l'administration de l'école, elle sera aussi responsable de la mise en pages des différents articles. Pierre et Marco deviennent des journalistes sportifs à la recherche des événements les plus intéressants de l'année. Les affaires culturelles seront couvertes par Alice et Caro. Celle-ci se propose même d'effectuer une bande dessinée ou une caricature appropriée à l'école.

— Et toi, Ben? demande le grand chef. De quoi vas-tu t'occuper?

Sa question sonne comme un reproche. À l'entendre, l'oisiveté n'est pas permise dans ce club sélect. Pour en faire partie, chacun doit avoir une occupation bien précise. Sonia n'apprécie guère de voir cet étranger bousculer

Ben par son regard inquisiteur et son claquement de langue impatient. Elle réalise que plus on attend sa réponse, moins Ben sait quoi dire. Elle vient à sa rescousse en suggérant:

— Il pourrait faire les chiens écrasés! Oui, les faits divers ou les potins si vous préférez. Je suis certaine que Ben a beaucoup de talent pour ça.

— Oui, oui, les potins, s'écrie Ben soulagé. Pas de problèmes. LES SUPER-POTINS DE BEN. Super, non!

— Peut-être bien, fait le leader du groupe, mais oublie pas qu'il s'agit d'un journal correct. C'est pas pour régler des comptes personnels qu'on l'écrit, mais pour garder un bon souvenir de notre année.

— Et les meilleurs souvenirs sont les plus drôles, ajoute sournoisement Sonia. Faut pas avoir peur de s'amuser un peu, dans les limites du respectable, évidemment... Fais confiance à Ben. Et toi, tu fais quoi? continue-t-elle très vite pour lui renvoyer sa question.

— L'éditorial, il faut bien que quelqu'un s'occupe de présenter le journal. Je m'en charge.

«La confiance règne, songe la jeune fille qui prend plaisir à embêter l'adolescent. Surveille bien ses yeux, chère Sonia quand il saura ce que tu as envie de faire!»

— Je crois que moi je vais écrire une revue satirique des enseignants...

À part l'éditorialiste, tous les autres jeunes réunis dans le petit local connaissent bien Sonia

84

et ils ont tous eu l'occasion de voir des échantillons de ce qu'elle peut écrire quand elle se moque, gentiment, des professeurs. Aussi, leur réaction est plus que positive à cette proposition. Ils rient, font des commentaires joyeux et soutiennent l'idée de Sonia. L'adolescent serre les dents et fixe Sonia droit dans les yeux avant de finalement sourire.

— D'accord, dit-il enfin en rappelant à l'ordre son groupe dissipé. D'accord, écris ton texte, ensuite, on jugera de ce que ça vaut.

«Il est culotté, l'animal! Il ne va tout de même pas censurer mon travail!» pense Sonia insultée.

— C'est pareil pour tous les textes, j'imagine? demande-t-elle. Tous, même le tien, doivent être acceptés par l'ensemble du groupe.

— Bien sûr! s'écrie Pierre, sinon ce ne serait pas le journal de toute l'équipe.

Les autres l'approuvent de la voix et du geste. L'inconnu n'a pas le choix, il abonde dans le même sens, mais à regret semble-t-il à Sonia.

Quelques minutes plus tard, le groupe se sépare, chacun ayant à se préparer pour son cours. Sonia se glisse près de son amie, Caro. Ben marche à quelques pas derrière elles. Caro s'exclame:

— Il est fantastique! N'est-ce pas?

— Qui ça?

— Mais Charles! Tu ne l'as pas remarqué? Il a les yeux verts, il est superbe!... Une vraie tête d'acteur...

— Ah! oui, tu parles du fendant qui mène tout le monde par le bout du nez! Dans le genre énervant, il n'est pas mal.

— Sonia! s'écrie Caro offusquée. Tu ne connais rien aux garçons.

— C'est vrai, je n'ai pas ta longue expérience de la vie. Tu l'as découvert où, celui-là?

— Sur quelle lune est-ce que tu vis? C'est un étudiant de secondaire II, comme Pierre et Alice.

— Mais eux, on les connaît depuis longtemps. Tandis que ton zouave nous tombe du ciel, et pouf!... tout le monde doit lui obéir.

— Tu te trompes sur son compte. Il veut seulement qu'on réussisse à faire le journal.

— Tu as peut-être raison, dit Sonia à contrecœur en entrant dans la classe. Changement de sujet: regarde, j'ai écrit quelque chose qui va te plaire.

Elle lui donne deux feuilles remplies de sa belle écriture ronde. Caro voudrait bien les lire immédiatement, mais Mme Jetté ne tolère pas de retard dans son cours. Les deux jeunes filles s'assoient rapidement à leur place. Quand Ben passe à côté de Sonia, il se penche vers elle et lui chuchote:

— T'as raison, Charles c'est un super zouave!

— Benoît, dit Mme Jetté d'une voix autoritaire, encore un mot et tu auras une copie.

— Ouach! marmonne Ben, c'est débile en super, toujours se taire.

— Benoît, cinquante fois: Je dois garder le silence en classe, proclame l'enseignante qui, sans plus attendre, commence sa leçon.

L'adolescent fulmine, mais obéit en silence. Sur une feuille, il aligne vingt-cinq «Je» et autant au verso, tout en essayant de tendre une oreille distraite aux explications de Jetté «aux poubelles».

Sonia, qui trouve exagérée cette punition, commence sa satire avec pour première victime, Lucie Jetté. Caroline lit en cachette le texte que lui a remis son amie.

○

Le nez dans son oreiller, la jeune fille fait un effort pour respirer calmement. La couverture remontée derrière sa tête, elle songe à sa journée. Sonia se dit qu'elle fut très bonne, pourtant... il y a quelque chose qui l'empêche de dormir. Ce n'est quand même pas Charles «le zouave» qui l'embête. Elle n'a pas l'intention de se laisser marcher sur les pieds par ce blanc-bec et cette première rencontre entre elle et lui l'a plutôt amusée. Non, c'est autre chose qui la trouble.

C'est plus qu'une impression vague, c'est physique. Quand elle y pense, elle est de plus en plus perturbée. Elle se tourne sur le dos et repousse sa couverture, elle a chaud. Tout contre sa main, il lui semble qu'elle touche encore celle du vieil homme.

Après sa visite quotidienne à Antoine, elle est allée prendre des nouvelles de M. Marcel. Il était immobile, allongé sur son lit. Il n'a même pas ouvert les yeux quand elle lui a parlé. Mais il ne dormait pas, elle en est certaine. Sa respiration résonnait comme un râlement rauque. Alors, elle a posé sa main sur la sienne qui était inerte sur le drap. Elle n'a vraiment pas aimé ça. La peau du vieillard était froide, mince comme du papier de soie, et lui semblait fragile. Elle avait l'impression que ses os flottaient sous la peau. De peur de lui faire mal, elle a retiré sa main et l'a déposée un peu plus loin sur le drap. C'est lui qui a bougé, c'est lui qui a glissé sa main décharnée vers celle de la jeune fille. Il la touchait à peine du bout des doigts.

Sonia n'a plus osé reculer. Il avait tellement l'air d'apprécier ce faible contact avec la vie et la santé. Maintenant, elle se dit qu'elle aurait dû remettre sa main sur la sienne, mais cet après-midi, elle n'en a pas eu le courage. Elle doit bien admettre qu'elle a eu un certain dédain de l'homme, ou plus précisément de la maladie de l'homme.

Elle essaie de chasser le mot qui lui monte à l'esprit. Lâche! Sonia, tu as été lâche! Elle retient ses larmes en se disant que ce n'est pas vrai, pas complètement vrai. Demain, elle se reprendra. Elle ira voir M. Marcel, elle lui parlera, lui tiendra la main... Sur cette rassurante pensée, elle se relaxe et se laisse envahir par la fatigue. Avant de sombrer dans le sommeil, une image passe dans sa tête: Antoine, seul à l'hôpital, malade, faible et aussi maigre que le vieil homme...

7

Confidences

Sonia voudrait bien parler à Caro, seule à seule, mais celle-ci ne décolle pas de son beau Charles. D'ailleurs, ils sont tous en admiration devant lui! Alice, Geneviève et Marco. Il n'y a que Ben et Pierre qui ne sont pas là. Sonia, qui a mal dormi, se montre marabout et presque désagréable. Puisqu'il lui est impossible d'attirer l'attention de Caro, elle décide de laisser le groupe à ses bavardages anodins et de faire un tour à l'amphithéâtre.

Elle grimpe quelques marches et entend une voix qui l'appelle derrière elle. En se retournant, elle aperçoit son frère au pied de l'escalier.

— Sonia! J'ai deux mots à te dire.

Elle redescend jusqu'à la deuxième marche. À cet endroit, elle est juste un peu plus grande que lui, ce qui lui permet de se sentir légèrement supérieure.

— Qu'est-ce que je peux faire pour toi, frérot de mon cœur? lui lance-t-elle en se forçant à sourire.

— Je veux juste te dire que je m'en vais à la maison. Je me sens pas tellement bien et je pourrai pas aller à l'hôpital. Je compte sur toi pour rendre visite à Antoine. Il a bien besoin de quelqu'un pour le désennuyer.

— Qu'est-ce que tu as?

— J'sais pas. Un peu mal à la gorge et j'ai froid. Au secrétariat, quand je leur ai dit que je voulais quitter pour l'après-midi, ils ont insisté pour prendre ma température. J'ai un peu de fièvre, ça me donne la permission de sauter mes cours. Ce qui m'embête, c'est qu'à cause de leurs règlements de fous, ils ont dérangé maman au travail. «Il fallait bien la prévenir», qu'ils ont dit. Ça aurait pu attendre à ce soir. Enfin... salut!

Avant qu'il s'éloigne, Sonia l'agrippe par le revers de son blouson de cuir et l'embrasse sur le front en lui susurrant de prendre bien soin de lui. Jean-Marc la repousse et s'essuie de la main. Il la quitte en grommelant:

— Tu peux jamais être sérieuse.

Il sait bien que sa jeune sœur ne l'a embrassé que pour le taquiner. Ce qu'il ignore c'est qu'elle est vraiment inquiète pour lui. Elle l'a trouvé brûlant, ce n'est pas seulement un peu de fièvre qu'il a. Et ses yeux sont petits, cernés, ternes, lui qui a toujours les yeux clairs et vifs. Et il est bien pâle. Elle regrette que Caro ne soit pas avec elle, ça l'aurait soulagée de lui parler de ses inquiétudes. Elle remonte lentement vers le premier.

Comme d'habitude, l'amphithéâtre est vide et la porte est débarrée. Elle s'assoit sur l'estrade et mange son lunch, solitaire. Elle remarque, qu'aujourd'hui, le grand local est séparé en deux par le mur amovible en accordéon. Elle se tient donc sur une demi-estrade devant une demi-salle.

Ayant toujours aimé le son de sa voix qui se répercute comme un écho entre les murs vides, elle dit à haute voix:

— Sonia, alias Merline.

Ça lui plaît. Elle continue:

— Caro, l'aveugle, tombe en pâmoison devant Charles le zouave.

Un petit rire étouffé la fait sursauter. L'oreille tendue, elle cherche d'où provient ce bruit. Elle ne voit personne. Inquiète, elle demande:

— Qui est là? Sortez de votre cachette! Ce n'est pas drôle d'espionner les gens.

Le mur central s'agite un peu et s'ouvre en une mince fente en son milieu. La tête, mi-amusée, mi-gênée, de Ben apparaît.

— C'est seulement moi, je ne voulais pas te surprendre, explique-t-il en guise d'excuse.

— Qu'est-ce que tu fais là? s'écrie Sonia d'un ton courroucé.

Elle est convaincue qu'il l'a fait exprès de se cacher derrière le mur.

— J'étais ici avant que tu arrives. C'est super *cool* comme endroit pour passer le temps. Tu m'as fait peur, je pensais que c'était un prof qui arrivait. Alors, je me suis caché de l'autre côté. C'est super la division, hein?

— Oui, ça permet aux écornifleux de passer inaperçus!

— T'es bien malcommode! Je le savais pas que tu viendrais ici, moi! T'es plate en super! bougonne l'adolescent. Tanné, moi! Super *dull*, cette école-là! Quand c'est pas les profs qui t'achalent, c'est les autres qui te tombent sur la tomate...

La mine renfrognée, il se dirige vers la sortie. Sonia se sent coupable. C'est vrai que tout le monde est toujours sur le dos de Ben. Il n'est pourtant pas méchant, seulement un peu trop exubérant. N'écoutant que son bon cœur, elle lui dit donc:

— T'es pas obligé de partir. C'est la surprise de te voir ici qui m'a fait réagir comme ça. J'étais convaincue d'être toute seule. Veux-tu un morceau de fromage? J'en ai trop et je n'ai plus tellement faim.

À pas lents, il revient vers la jeune fille. Il avale deux pointes de fromage avant de parler:

— Super, ton cheddar! L'endroit aussi est super! Tu viens souvent?

— Des fois! Quand je veux avoir la paix.

Ben, qui se tient debout à côté de l'estrade, près de l'endroit où Sonia est assise, la regarde droit dans les yeux et demande:

— Pourquoi veux-tu avoir la paix?

Étonnée par cette question, elle ne sait pas quoi répondre. Il poursuit, pour l'encourager:

— Oui, pourquoi tiens-tu tellement à rester toute seule, loin du monde. T'es une super fille, super intelligente. T'as pas besoin de te cacher des autres.

— Et toi? Pourquoi es-tu ici? dit-elle pour éviter de répondre.

— Bof! Quand je trouve le reste du monde super con, j'essaie de m'éloigner. C'est moins pénible.

Sonia va de surprise en surprise. C'est lui, Ben «super-sans-tête» qui traite les autres de cons, lui dont tout le monde rit en le traitant de simplet! Elle réalise alors qu'on se trompe peut-être sur son compte. C'est un peu comme si un miroir lui renvoyait une image différente de la réalité. Ben aussi peut porter un jugement désagréable sur son entourage. Elle se décide enfin à répondre:

— J'avais plus envie d'entendre les niaiseries de Charles, Caro et la gang.

— On est sur la même longueur d'onde. Super! fait-il en souriant. Tu vas rire, mais... des fois... je me demande à quoi ça pense une fille toute seule?

Sonia ne rit pas, la question lui semble au contraire très sérieuse.

— Je ne sais pas à quoi pensent les autres filles, mais moi, de ce temps-ci, je m'inquiète pour des gens que je connais et qui sont malades. Pas des petites maladies, mais quelque chose de grave. Et puis, je m'invente des histoires impossibles avec des princes, des sorcières... des histoires qui finissent toujours bien... Et un gars tout seul, ça pense à quoi?

— À la solitude, au fait qu'il est super-rien pour la plupart des gens. Que c'est super-tannant d'être l'idiot de service seulement pour que les autres se sentent supérieurs.

Sa voix est mal assurée et son sourire s'est estompé. Pour cacher son malaise, il la salue et quitte précipitamment l'amphithéâtre. Sonia, abasourdie, le laisse partir sans rien dire. Elle ne comprend pas, elle ne se comprend pas. S'il était resté plus longtemps, elle lui aurait tout raconté, la maladie d'Antoine, celle de M. Marcel, sa vive inquiétude à leur sujet. Comment pouvait-elle être prête à se confier à un garçon à qui elle ne parle presque jamais? Qu'elle a toujours un peu méprisé, pas ouvertement, mais en cherchant le plus possible à l'éviter. Et lui aussi, il semblait au bord des confidences. Ne vient-il pas de lui avouer à quel point il se sent seul, incompris et triste?

Elle soupire et secoue vivement la tête. Elle a autre chose à faire que de jongler avec toutes ces idées. Vivement la fin des cours qu'elle puisse quitter l'école!

○

Elle avance à pas feutrés dans le long corridor. En s'arrêtant devant la porte, elle se dit qu'aujourd'hui elle ne sera pas lâche. Elle se force à sourire pour bien se pénétrer de son courage. Dans la chambre de M. Marcel, une surprise l'attend. Le lit est défait, il n'y a plus aucun drap. Seule une toile cirée recouvre le matelas. Aucune trace des équipements médicaux qui entouraient le vieil homme, hier. La table de chevet est vide, ainsi que le placard qui est grand ouvert.

Sonia retourne dans le couloir, la tête pleine de questions. Où est passé M. Marcel? Est-il sorti de l'hôpital? Guéri? S'il en est ainsi, elle ne le reverra probablement jamais, puisqu'elle ignore où il habite.

Elle est à la fois déçue et soulagée à cette idée. Ça la rassure de penser qu'il va mieux. Elle entre dans la chambre d'Antoine, mais il n'y est pas. Le drap est maladroitement rabattu sur l'oreiller, les manettes du jeu Nintendo traînent sur le lit et les vêtements de l'adolescent sont sur la chaise. Où peut-il bien trotter?

Dans le couloir, il n'y a personne. Elle se rend jusqu'au poste des infirmières et y trouve celle qui a des traits de Chinoise et Louise, toutes deux occupées à remplir des rapports. Sonia frappe trois petits coups sur le cadre de porte. Les deux jeunes femmes lèvent la tête vers elle.

— Qu'est-ce qu'on peut faire pour toi? s'informe Louise.

— Je voulais rendre visite à Antoine Trottier, mais il n'y a personne dans sa chambre. Savez-vous où il est?

— Désolée, mais tu ne pourras pas voir Antoine. Pas pour l'instant du moins! Il est parti au premier pour des radios et des tests. Ça risque d'être assez long et en remontant, il aura besoin de se reposer. Tu devrais revenir demain.

— D'accord, merci, dit la jeune fille en pensant que son frère n'a rien manqué.

Elle fait un geste pour partir, mais la deuxième infirmière la retient par une question.

— Est-ce bien toi qui t'appelles Sonia et qui rendais parfois visite à M. Marcel?

— Oui. Pourquoi?

— Hé bien…

La femme prend un livre dans un tiroir et s'approche de Sonia qu'elle entraîne doucement dans le corridor.

— Ton vieil ami, commence-t-elle en choisissant soigneusement ses mots, ne se sentait pas très bien. Il était vraiment très, très malade. Sais-tu de quoi il souffrait?

— Non, répond Sonia inquiète d'entendre parler au passé de M. Marcel.

— C'était un cancer généralisé. C'était vraiment grave. La médecine ne pouvait plus le guérir, seulement l'empêcher d'avoir trop mal. Il y a deux jours, il m'a demandé d'écrire un message pour toi. Il m'a prévenue que je ne devais te le donner que lorsqu'il serait mort. Ce livre aussi, il voulait t'en faire cadeau. La lettre est à l'intérieur. Voilà!

Sonia prend le livre dans ses mains et le retourne plusieurs fois sans parvenir à en lire le titre car elle a les yeux pleins de larmes. C'est donc pour cela que sa chambre est vide. On nettoie le lit en prévision d'un nouveau patient. Sonia fait un effort pour refouler la boule qui lui blesse la gorge et demande:

— Comment...?

— C'est arrivé ce matin, vers 10 heures. Il était très calme et détendu. Il ne souffre plus maintenant.

La garde lui serre la main et lui souhaite bon courage, puis elle retourne à son travail. Sonia s'éloigne lentement. Elle entre dans la chambre vide du vieil homme et s'assoit sur la chaise. Elle s'essuie les yeux et regarde avec attention son cadeau. Il s'agit d'un vieux livre à couverture rigide, une très vieille édition du roman pour enfants *Alice au pays des Merveilles*. Elle n'a jamais lu ce livre mais, comme la plupart des gens, elle en connaît les grandes lignes. M. Marcel la jugeait plus jeune qu'elle ne l'est pour lui offrir un livre d'enfant. Sonia est un peu déçue par ce choix. Elle le feuillette vivement et une enveloppe en tombe. C'est la lettre écrite par l'infirmière sous la dictée du vieillard. Elle l'ouvre sans attendre.

«*Chère mademoiselle Sonia,*

Je vous ai dit que vous m'aviez fait une grande joie en me racontant votre histoire, permettez-moi de vous le répéter. Dans mon état, peu de choses peuvent encore me procurer un certain plaisir. Votre gentillesse fait partie de ces petites joies.

Je me suis longuement demandé ce qui pourrait plaire à une jeune fille à l'imagination aussi vive et prolifique. Et je crois avoir trouvé. Si Hergé a su créer un personnage qui s'adressait aux jeunes de sept à soixante-dix-sept ans, Lewis Carroll l'avait déjà fait au siècle précédent avec sa jeune Alice. N'ayez aucune honte à vous plonger dans ce merveilleux conte poétique où l'auteur a, peut-être, cherché à dénoncer par la satire, l'illogisme d'un monde paradoxalement basé sur la logique.

Comme vous pourrez le constater, ce livre, je l'ai déjà lu à maintes reprises. Faites-en au-

tant et j'espère qu'il vous apportera autant de réconfort qu'à moi.

Cela peut vous sembler une formule usée et inutilement romanesque, mais il est vrai que lorsque vous lirez ces lignes, je serai déjà mort. Mort et soulagé de l'être. Vous savez comme moi que tout le monde y passe, même si vous n'y avez pas encore vraiment songé, vu votre jeune âge. Alors, ne me regrettez pas trop. Continuez à être telle que vous êtes et aidez votre ami à passer cette étape nécessaire de la vie à trépas, par votre présence chaleureuse.

Je sais qu'une unité de mourants n'est pas un endroit réjouissant, alors je vous en remercie d'autant plus.

Je me permets de signer votre ex-ami,

M. Marcel»

○

Sonia entre brusquement dans la cuisine. Essoufflée par sa longue course depuis l'hôpital, elle respire vivement entre ses sanglots. À travers ses larmes, elle voit sa mère, près de la cuisinière, qui se tourne vers elle et lui tend les bras. La jeune fille s'y précipite en s'écriant:

— Non! Non! Je ne veux pas qu'il meure. Non! Pas lui, pas lui!

101

8

Toute la vérité

Heureusement que sa mère est là pour accueillir Sonia. Inquiète pour Jean-Marc, Sylvie Pelletier a quitté son travail plus tôt. Après avoir veillé sur sa santé, elle et son fils ont eu une longue discussion. Il lui a tout dit sur Antoine. Sonia n'a pas été témoin du choc qu'elle a eu à cette nouvelle. Sa mère était atterrée. Antoine! le jeune garçon qu'elle a pratiquement élevé. Il mangeait plus souvent chez elle que chez son père. C'est elle qui l'aidait le soir pour ses travaux scolaires. Il lui arrivait même assez souvent de passer la nuit dans la chambre de Jean-Marc couché sur de gros coussins.

Après son incrédulité du premier moment, elle a fait face à la situation. Elle a pensé à sa fille et à son fils. Ils auront besoin d'elle pour surmonter cette épreuve. Et c'est ainsi que Sonia la trouve à son arrivée, refoulant son propre chagrin pour soutenir ses jeunes. La jeune fille peut pleurer autant qu'elle en a besoin. Elle peut exprimer sa rage contre l'injustice de la maladie d'Antoine. Elle parle même de la mort récente de M. Marcel. Puis, une question folle surgit dans sa tête.

— Mais... mais Jean-Marc ne va pas bien! Maman, tu ne penses pas qu'il aurait pu attraper le sida d'Antoine?

Assise prés d'elle à la table de la cuisine, Sylvie prend les mains de sa fille dans les siennes pour lui expliquer:

— Le sida est contagieux, mais de deux façons seulement. Pour que Jean-Marc l'attrape, il faudrait que lui et Antoine aient eu des relations sexuelles ensemble. Et je ne crois pas que ce soit le cas, ajoute-t-elle en souriant faiblement.

Sonia hoche la tête en signe d'approbation. D'après ce qu'elle connaît des amours de son frère, elle l'imagine difficilement faisant la cour à Antoine.

— Évidemment, poursuit sa mère, il n'est pas à l'abri s'il fait l'amour avec une jeune fille.

Mais Jean-Marc m'a assuré qu'il prenait ses précautions, il a une boîte de condoms dans sa chambre.

— Tu crois qu'il a déjà fait...? s'exclame Sonia avec des yeux ronds.

— Ça, c'est son secret à lui. Sa vie amoureuse est son domaine privé, en autant qu'il fasse attention. Compris?

— Oui. Et la deuxième façon, c'est comment?

— Par un échange de seringue entre deux drogués qui se piquent. De ce côté-là, je ne pense pas avoir à m'inquiéter. Enfin, je l'espère, ajoute-t-elle à voix basse.

— Jean-Marc? Se droguer? J'en doute, je n'ai jamais vu un gars plus *straight* à la poly. Tout se sait à l'école! S'il faisait partie d'une gang comme ça, je serais au courant.

Sylvie passe sa main sur les cheveux de Sonia. Pour la protéger. Pour chasser ses idées noires. Mais la jeune fille est encore inquiète.

— Il n'y a vraiment aucun autre moyen de l'attraper? Je ne sais pas moi, en serrant une main? En l'embrassant?

— En médecine, il n'y a pas de certitude absolue, mais jusqu'à présent, jamais personne n'a contracté la maladie de ces façons-là. Le virus n'est contagieux que dans les sécrétions sexuelles ou dans le sang, qui est maintenant contrôlé en laboratoire avant les transfusions. Il n'y a pas de danger avec les larmes, la sueur ou la salive. Le virus du sida ne vit pas très longtemps quand il n'est pas dans un bon milieu. C'est plutôt contradictoire. Il s'agit d'un virus qui meurt rapidement quand il est en dehors de notre système, mais qui a la vie dure à l'intérieur.

— Alors, Jean-Marc n'a rien de grave?

— Il a probablement une bonne grippe. Peut-être un souvenir de la pluie d'avant-hier? J'ai déjà pris rendez-vous chez le médecin. On va bien le soigner ton grand frère!

— Lui, oui! Mais Antoine?

Sa mère ne répond rien. Que pourrait-elle dire? Après l'avoir embrassée, elle retourne à son souper, la gorge nouée par son impuissance en face de la mort.

Sonia tente de se remettre, elle s'étonne de se sentir aussi étrangement calme. Pendant que sa mère et son frère seront partis pour la clinique, elle sait qu'elle tournera en rond dans la maison. Elle sera incapable de penser à autre chose.

Comme elle s'en veut de n'avoir pas su écouter Antoine! Depuis le début, il lui a dit qu'il allait mourir et elle a toujours nié cette évidence. Elle s'était dit qu'il se trompait, que les médecins s'étaient trompés dans leur diagnostic, mais c'était elle qui était dans l'erreur en ne voulant pas admettre la vérité.

Elle n'a qu'une seule excuse: c'est si dur à accepter!

Assise sur le panier à linge sale dans la salle de bains, elle s'éponge le visage avec une débarbouillette d'eau fraîche. En se tournant vers le miroir, elle voit ses yeux rougis qui contrastent avec son teint blême. Les coins de ses lèvres tombent tristement.

9

Tendre amitié

Sonia n'est pas allée à la polyvalente aujourd'hui. Jean-Marc non plus, mais lui, il a dormi pendant une bonne partie de la journée. Elle a hésité durant toute la fin de semaine avant de se décider à se rendre à l'hôpital. Comment va-t-elle pouvoir garder une attitude réconfortante devant son ami? Tout au long du chemin, elle imagine plusieurs scénarios.

Quand elle entre dans la chambre d'Antoine, elle n'est pas certaine de bien agir. Est-ce vraiment sa place? Si elle pouvait se cacher dans un trou de souris, elle le ferait.

— Salut, p'tit singe, dit Antoine d'une voix lente. Paraît que tu es venue ici pour rien, l'autre jour?

— C'est pas grave, ça m'a fait faire un peu d'exercice, dit-elle avec un sourire forcé.

— Pas grave! Pas grave! ricane-t-il en répétant ces deux mots. Pas grave! Pas grave! Y a jamais rien de grave, avec toi! Hein, p'tit singe?

Intimidée pas son accueil bizarre et agressif, la jeune fille ne sait quoi répondre. Elle se contente donc de hausser les épaules et de l'approuver. Cela déclenche une autre série de rires mauvais.

— P'tit singe! Je n'ai jamais si bien fait en te surnommant ainsi. T'es pareille comme les autres, en pire peut-être? Un vrai singe!

— Qu'est-ce qui te prend? Tu dis n'importe quoi! se défend-elle.

— Ça fait ton affaire, ça fait l'affaire de tout le monde de croire que je dis n'importe quoi! Comme le premier singe, celui qui se bouche les oreilles.

— Quoi?

— Oui! Les trois petits singes! Ça ne te dit rien? Le premier ne veut rien entendre et il se bouche les oreilles. Le deuxième ne veut rien voir et il ferme les yeux. Le troisième préfère ne pas en parler et il met une main sur sa bouche. C'est la voie de la sagesse, paraît-il.

Il parle avec hargne, les dents serrées. Avec ses lèvres méchamment retroussées, Sonia

110

trouve qu'il ressemble à un bouledogue prêt à mordre.

— Ce n'est pas vrai, se défend-elle. je ne suis pas comme ça!

— Oh! Non! Alors, pourquoi tout ce cirque? Les décorations sur les murs? Le jeu Nintendo? La musique? Si ce n'est pas pour cacher la vérité. La vérité trop cruelle pour la regarder en face? Avoue, avoue que tu as tout fait pour passer à côté. Avoue!

Ses yeux sont durs, secs et ses traits contractés expriment la rage. Sonia sent deux larmes chaudes qui lui coulent jusque dans le cou. Elle nie vigoureusement, puis bafouille une explication avant de finalement dire:

— Oui... c'est vrai. J'étais pas capable. Je...

Elle est tout près du lit. D'un geste vif, Antoine lui empoigne un bras et la secoue violemment au rythme de ses paroles.

— Alors, dis-le maintenant. Dis-le: je vais mourir. Répète, répète: Antoine va mourir!

La main de l'adolescent lui meurtrit la peau, la colère d'Antoine lui blesse le cœur et la vérité qu'il lui lance ainsi au visage la fait horriblement souffrir. C'est en sanglotant qu'elle répète la phrase.

Aussi subitement qu'il s'est mis en colère, il y met fin. Il réalise la cruauté dont il vient de faire preuve. D'une main tremblante, il cherche à essuyer les larmes sur les joues de la jeune fille. Puis, il l'attire tout contre lui et la serre dans ses bras, en l'appelant par son nom et en s'excusant à plusieurs reprises. Il lui caresse maladroitement la tête et le dos.

Elle ne dit rien et demeure immobile, son visage au creux de l'épaule d'Antoine. Elle a l'impression que son cœur se dégonfle lentement, que ça devient tout chaud dans sa poitrine. Les émotions se bousculent en elle. Sa peur s'efface devant son chagrin qui s'estompe lui aussi peu à peu pour faire place à une sensation nouvelle. C'est la première fois qu'un garçon la tient dans ses bras. Elle trouve ça bon. Elle se sent bien contre le corps maigre d'Antoine, semblable à un paquet d'os. Il pourrait tout aussi bien être difforme ou coupé en mille morceaux, ça lui est égal. Elle l'aime! Au fond d'elle-même, elle sait qu'elle l'aime depuis longtemps, mais quand on n'est qu'une fillette, on ne comprend pas ces choses-là.

C'est lui qui, d'un geste doux, l'éloigne un peu. Tout en gardant les mains sur les bras de Sonia, il tente de s'expliquer:

— J'avais pas le droit de te bardasser ainsi. Je sais pas ce qui me prend d'être désagréable comme ça. Mais y a des fois... Ça m'horripile de voir les autres faire semblant que tout va bien, faire semblant que je vais guérir. Mais, dans leurs yeux, je peux lire qu'il n'y a plus d'espoir. Je le vois bien. J'ai l'impression que les gens me prennent pour un débile à qui on peut dire n'importe quoi. Ou pire à qui on ne parle pas! C'est terrible de se sentir ballotter entre la vie et la mort. Je me surprends parfois à avoir hâte que ce soit fini.

— Je... je pense que je comprends, murmure-t-elle. Je ne sais pas vraiment ce que tu ressens parce que je ne le vis pas. Mais... quand je regarde en dedans de moi, je crois que je réussis à voir comment ça doit être.

Antoine lâche Sonia et se cale sur ses oreillers. Il soupire en disant:

— Oui, c'est probablement vrai que tu comprends. À ta manière, c'est-à-dire comme quelqu'un qui assiste avec toutes les limites que ça comporte.

— Je voudrais bien faire davantage... souffle-t-elle.

— C'est déjà beaucoup, énorme même! Je fais mon malcommode, le chien qui grogne en apercevant quelqu'un. En réalité, j'ai terriblement besoin qu'on me rende visite. Quand je pique une colère, j'ai l'impression que je ne me contrôle pas. Je suis insupportable, quoi! ajoute-t-il en levant les bras et en souriant comme un enfant pris en défaut.

— Ce doit être parce que c'est dur à supporter.

Il la dévisage pendant quelques secondes avant de répliquer avec un sourire en coin:

— Sais-tu que plus je t'écoute parler, plus je trouve que tu n'es pas aussi folle que tu en as l'air...

— Oh! Antoine! s'écrie-t-elle choquée. Tu parles comme Jean-Marc. Pas capable de dire un mot gentil, sans ajouter une insulte!

— Comme quoi? Donne-moi un exemple de ce que ton frère est capable d'inventer.

— Comme... comme... Tiens, l'autre jour, il a dit que plus tard je deviendrais une *esthéti-chienne*!

— J'espère que tu lui as répondu sur le même ton.

— Évidemment, je lui ai répliqué que je deviendrais vétérinaire pour le soigner quand il serait malade.

Elle réalise au même instant qu'elle vient de commettre un impair en parlant de maladie. Elle se mord les lèvres et s'excuse rapidement. À sa grande surprise, Antoine éclate de rire.

— Excuse-toi pas. Est bonne. D'ailleurs, j'ai toujours trouvé ça drôle de vous voir vous chica-ner.

— Je le sais. Je me doute même que tu devais faire exprès pour les créer ces fameuses chicanes. Heureusement, je l'aime bien mon frère.

— Oui, moi aussi. C'est un chum, un vrai qui te laisse pas tomber... Toi aussi, je t'aime bien. C'est gentil à toi de me tenir compagnie et de me remonter le moral. Ça me fait du bien. J'espère seulement que tu ne te sens pas forcée de le faire.

Elle répond vivement, sans prendre le temps de réfléchir:

114

— Bien sûr que non! Ça me fait plaisir d'être avec toi.

Trouvant que cela sonne comme un aveu, elle baisse subitement la tête et tortille un coin du drap entre ses doigts. Cette petite phrase, toute simple, crée un malaise entre les deux adolescents. Pour y couper court, Antoine prétexte qu'il a besoin de repos, ce qui n'est pas tout à fait faux. La jeune fille comprend qu'il est temps pour elle de partir. Obéissant à une impulsion subite, elle se penche vers lui et, d'un geste rapide, lui effleure à peine la bouche.

Antoine a un petit mouvement de recul. Surpris par l'audace de Sonia, il demande:

— Ça ne te fait pas peur?

— Quoi?

— Bien... de m'embrasser... à cause de ma maladie!

— Non, dit-elle en le regardant droit dans les yeux. Ma mère m'a expliqué et il n'y a pas de danger.

— Ta mère? Oui, je me rappelle, elle était douée pour donner des explications. Elle est au courant, pour moi?

Sonia acquiesce d'un mouvement de la tête et lui explique que Sylvie et elle ont eu une longue conversation sur le sujet, hier. Elle lui apprend aussi que sa mère doit lui rendre visite ce soir.

— Aucun problème, je ne sors pas ce soir, lance-t-il avec un sourire.

Puis reprenant un air sérieux, il ajoute:

— Si tu n'as pas peur, j'aimerais que tu m'embrasses encore... si tu le veux bien.

Elle sourit timidement et se rapproche de lui. Il lui prend doucement la tête entre les mains et pose ses lèvres sur sa bouche. Elle ferme les yeux et attend. Elle doit bien avouer qu'il a plus d'expérience qu'elle. Quand elle le quitte, tout est embrouillé dans sa tête. Le peu de temps qu'elle a passé dans sa chambre, était tellement chargé d'émotions diverses, qu'elle est surprise de constater qu'il est encore si tôt. Elle erre longtemps sans but dans les rues du faubourg St-Rock, la tête et le cœur ailleurs.

10

Chagrin de père

Ce soir, en partant pour lui rendre une visite, Sylvie s'attendait bien à trouver Antoine changé, malade, mais jamais elle n'aurait cru qu'il serait dans un état aussi critique.

Quand elle entre dans sa chambre, c'est à peine si elle le reconnaît. Il lui semble que seuls ses grands yeux de faon sont demeurés les mêmes sous sa tignasse pâle. Il ose à peine la regarder et elle ne sait pas vraiment quoi dire pour lui exprimer son affection. Alors, elle décide de laisser parler les gestes.

Elle prend sa main dans la sienne et la serre avec douceur. Puis elle lui caresse les cheveux et l'embrasse sur le front, comme quand il était petit. Avec un sourire attristé, elle murmure:

— Je sais… enfin, je sais ce que Jean-Marc et Sonia ont bien voulu me dire. Alors, je suis venue pour t'offrir mon aide. J'aimerais bien faire quelque chose pour toi. J'ignore ce dont tu as vraiment besoin, il faut bien que je l'avoue, mais je suis là. Et je serai présente autant qu'il le faudra, autant que tu le désireras. Voilà! je voulais que tu le saches.

Antoine ne dit toujours rien, il en est incapable. Il s'agite nerveusement et retient fermement la main de la femme. Dans son for intérieur, il doit combattre son orgueil qui le pousse à rejeter toute proposition d'aide. Il veut se montrer indépendant, mais, plus sa maladie progresse, plus il sent qu'il a besoin des autres. Mais c'est tellement humiliant de le dire! Pourtant, c'est agréable, rassurant même, de pouvoir compter sur quelqu'un. Sonia et Jean-Marc ont l'amitié fidèle, mais il réalise qu'ils sont jeunes et ne comblent pas tous ses désirs, pas celui d'avoir une mère à ses côtés.

Pour l'adolescent, Sylvie Pelletier a toujours été une mère suppléante. Une suppléante efficace et dévouée, mais elle était rémunérée par son père. C'était un facteur suffisamment important aux yeux de l'enfant qu'il était, pour qu'il mette une barrière invisible entre elle et lui. Et aujourd'hui, elle est là, près de lui, à lui donner son temps, à lui proposer son aide et à lui faire cadeau de sa tendresse. Gratuitement! Sans rien demander en retour.

Antoine ne lui explique rien de tout cela, mais Sylvie le sent, confusément. Puisqu'elle le devine aussi malheureux, elle se contente de son silence. Il ne la repousse pas, bien au contraire, et pourtant, le pont qui les relie à ce moment-là est si fragile qu'elle craint de lui lâcher la main. C'est important pour lui de garder un contact physique.

Combien de temps se sont-ils tenus ainsi? Combien de temps avant que le charme ne soit rompu par l'arrivée subite de Pierre Trottier? En entrant, il était si surpris de trouver son fils en compagnie de Sylvie qu'il a figé sur place. Un peu plus, et il repartait en se disant qu'il s'était trompé de chambre.

C'est automatique, comme un ressort qui se brise et fait éclater un mécanisme. Sylvie et Antoine se lâchent la main et entre eux, s'installe la distance respectable qui doit exister entre deux personnes qui n'ont aucun lien de parenté. Si Pierre sent qu'il dérange, il n'en montre rien. Son droit de paternité lui permet de s'imposer. Enfin, c'est l'impression que Sylvie a à ce moment-là. Puis, elle se dit qu'elle a tort de penser ainsi. Après tout, il est normal qu'un père s'inquiète pour son fils et le visite régulièrement.

Pierre aime Antoine, il est seulement maladroit dans ses attitudes affectueuses.

Après un long et pénible échange de banalités, elle prend congé d'eux. Par politesse, Pierre lui demande de l'attendre.

— Tu n'as toujours pas de voiture? Je vais aller te reconduire.

— D'accord, je descends en bas dans l'entrée, suggère-t-elle pour leur laisser quelques minutes d'intimité.

«Pourquoi ai-je accepté de l'attendre?» se demande-t-elle en faisant les cent pas dans le grand hall de l'hôpital. Elle n'a pas vraiment envie de jaser avec lui. Avant qu'elle ait le temps de changer d'idée, il est déjà près d'elle et l'entraîne vers son auto. Puis, il lui propose de prendre un café avec lui dans un petit restaurant. Elle dit oui, car elle ne sait pas comment refuser sans le vexer.

Et là, à la lumière crue des lampes au néon, elle l'examine. Un peu plus de rides autour de ses yeux bleus, des touches de gris dans ses cheveux châtain pâle et même dans sa moustache, et sa taille qui a épaissi. Il lui faut se rendre à l'évidence, Pierre Trottier a beaucoup vieilli depuis deux ans. Il doit lire dans ses pensées puisqu'il lui dit de but en blanc:

— Oui, je sais! J'ai pris un coup de vieux.

Il fait un geste de la main pour chasser ce qu'il vient de dire et demande:

— Comment se fait-il que tu étais à l'hôpital? Un hasard…?

— Non, ce sont mes enfants qui m'ont prévenue.

— Tes enfants? Ils ont vu Antoine?

— Oui, et d'une manière assez régulière, assidue même, depuis quelque temps.

— Merde! s'exclame-t-il avec un mouvement de colère.

— J'apprécierais que tu sois moins grossier, fait-elle avant de boire avec précaution son café chaud.

Il se tait, baisse la tête, mais il tape du pied sous la table avec une rage contenue. Elle le connaît bien, pas le genre à parler beaucoup, franc, direct (un peu trop parfois) et autoritaire. Ça ne doit aider en rien les relations avec son fils.

— Comme ça, tu es au courant. Tes enfants aussi, j'imagine?

— On ne sait que ce qu'Antoine a bien voulu nous dire.

— C'est… assez grave, ce qu'il a, reprend-il d'un ton adouci. Les médecins ne lui donnent plus grand temps.

— Oui, je sais.

— Ça paraît à ce point-là qu'il est mourant?

— Un peu, mais c'est surtout parce qu'il en a parlé avec les enfants que je le sais.

— Quoi? Com… comment peut-il avoir dit ça? J'ai exigé des médecins qu'on ne l'avertisse

121

pas. Pas tout de suite. Quand ça sera le temps, je le ferai!

— Mais tu prends Antoine pour un enfant de quel âge? Ça fait longtemps qu'il n'est plus un bébé! Il a des yeux pour voir et une intelligence pour s'en servir. Il s'est rendu compte de la gravité de son état et il s'est renseigné par Jean-Marc qui lui a déniché toutes sortes de documents là-dessus. À son âge, on attend pas que papa ou maman nous expliquent les choses de la vie, on les découvre par soi-même.

— La belle affaire! Ça l'a amené où de vouloir se débrouiller seul? Directement dans les problèmes par-dessus la tête! S'il m'avait écouté au lieu d'aller à Toronto voir sa mère à tout prix, on n'en serait pas là, aujourd'hui.

— Toronto, Montréal, New York ou Tombouctou, c'est du pareil au même. Ce n'est pas une question d'endroit, mais de prudence. Ici ou là-bas, il avait les mêmes chances d'attraper ça.

— Mais ici, j'aurais pu le surveiller au moins.

— Veux-tu rire? Tu ne pouvais quand même pas lui mettre une laisse autour du cou et l'avoir à l'œil jour et nuit. Il arrive un moment où il faut leur faire confiance. C'est pas facile, je le sais! Mais tu te croises les doigts, tu touches du bois, tu fais tes prières et tu espères que ce que tu leur as montré, leur sera utile. Qu'ils se serviront de leur tête avant d'agir. Après tout, on ne peut pas toujours leur tenir la main pour traverser la rue...

Avec un air de chien battu, il hoche la tête:

— Je comprends tout ça, mais je ne peux pas m'empêcher de me sentir coupable.

— Coupable de quoi?

— Antoine, c'est ma responsabilité. C'est mon fils, c'est à moi de veiller à ce qu'il ne lui arrive jamais rien de mal. Et j'ai échoué, j'ai dû commettre une erreur quelque part. Laquelle?

— Pierre, tu n'as pas le droit de te culpabiliser ainsi. Tu te fais du tort inutilement et ça n'aide personne. Ni toi, ni Antoine!

— Aider Antoine! Il est trop tard, maintenant. je ne peux plus rien faire pour lui.

— Oui, il y a encore quelque chose. T'asseoir près de lui et lui dire que tu l'aimes. Le dire une fois, dix fois, vingt fois, s'il le faut.

— Et avoir l'air complètement ridicule!

— Non, ce n'est jamais ridicule quand ça vient du cœur.

— Il est déjà au courant, je suis son père.

— Ce n'est pas suffisant. Faut le dire avec sa bouche, avec ses yeux, avec son cœur...

À ces mots, il détourne sa tête pour éviter le regard de Sylvie. Pour ramener son attention sur elle, Sylvie le prend par le bras et poursuit:

— Pourquoi penses-tu qu'Antoine recherche autant la compagnie de Sonia et Jean-Marc? Pourquoi? Tout simplement par besoin d'affection et d'amour. Je le sais que tu l'aimes, ton fils, mais ça lui ferait du bien de se le faire dire. Surtout qu'après il sera trop tard!

Pierre la dévisage, les mâchoires serrées. Dans ses traits, elle peut lire diverses émotions entremêlées: chagrin, amertume, rage et regret.

— À t'entendre, ça semble si simple... Ce que je voudrais, c'est revenir en arrière, effacer les deux dernières années et recommencer à neuf.

Elle aimerait lui dire que ce n'est pas si simple et que revenir en arrière, elle non plus n'a jamais pu. La mort subite de son mari lui a enseigné bien des choses, dont la plus importante: après la mort, il est toujours trop tard pour dire qu'on aime.

Leur café finalement avalé, il la reconduit chez elle, en roulant lentement, sans se presser. Il a encore tant de choses à dire, mais il n'ose pas. Et c'est quand il stationne devant son logement, quand il éteint le moteur, quand la noirceur les enveloppe qu'il réussit enfin à parler. Parler de son fils, prononcer le nom de sa maladie (chose qu'il n'a encore jamais faite), expliquer son désespoir. Et elle l'écoute, longtemps, sans voir passer l'heure. Juste avant qu'elle ne sorte de la voiture, il la remercie pour sa patience et surtout pour son conseil.

— Tu as raison, je n'ai jamais su dire à Antoine à quel point il est important pour moi. Mais, je veux bien essayer...

Elle se contente de sourire tristement puis, il démarre. Sylvie referme sans bruit sa porte d'entrée et pousse le verrou. Elle est soulagée de constater que tout est silencieux dans la maison.

Un coup d'œil à sa montre lui indique qu'il est bien tard: minuit et quart! Heureusement qu'elle ne travaille pas demain.

Elle enlève ses souliers et se frotte les pieds sur son tapis d'entrée. En poussant contre sa peau, les petites pointes en plastique lui procurent une agréable sensation de détente. Elle sourit en songeant à sa fille qui rit d'elle et de son tapis masseur.

Son côté mère poule reprend le dessus et c'est à pas de loup qu'elle va border ses enfants. Ils dorment déjà profondément. Elle souhaite qu'il en soit de même pour Antoine. Ses pensées reviennent constamment sur l'adolescent.

11

Une histoire
triste et vraie

Sonia se cherche un coin tranquille. Depuis
une semaine, elle n'a échangé que de vagues paroles de politesse avec son amie Caro. Elle n'est
pas retournée au local 029, car le projet du
journal-souvenir ne la captive plus et elle n'a pas
le cœur à rire des mauvaises plaisanteries du
groupe. Il y a bien l'auditorium, mais elle craint
d'y rencontrer Ben. Sans vraiment savoir pourquoi, elle cherche de plus en plus à l'éviter. Lui
aussi, d'ailleurs. Quand ils ont un cours ensem-

ble, il s'assoit toujours le plus loin possible d'elle.

Et puis, elle a de moins en moins d'intérêt pour les cours. Elle ne s'étonne donc pas si ses pas la conduisent hors de l'école. Elle traverse le boulevard et emprunte la rue de l'Oasis qui la mène directement au parc du même nom. C'est déjà la mi-mai et le temps est superbe. Il fait tellement chaud que la jeune fille songe à s'étendre sur l'herbe pour son premier bain de soleil de l'année.

Elle cherche des yeux un bon endroit et ce qu'elle trouve la déçoit. Super Ben est allongé sur un des bancs pour une pause-bronzage. Comme elle n'a vraiment pas envie d'avoir une conversation avec lui, elle change de direction et d'idée. Après tout, il serait préférable qu'elle rende visite à Antoine, qui lui, le pauvre, ne peut jouir des chauds rayons du soleil.

Sous ses paupières à demi-closes, Ben regarde la jeune fille s'éloigner par la rue du Ruisseau. Quand il ne la voit plus, il se lève et marche rapidement sur ses traces. En arrivant à la rue des Églantiers, il l'aperçoit de nouveau. Elle a traversé la rue et s'approche de l'hôpital. Encore! ce n'est pas la première fois que l'adolescent la suit jusque-là. Il attend qu'elle y ait pénétré pour passer à pas lents devant le gros édifice. Il aimerait bien savoir pour qui la jolie Sonia est si triste, mais l'observation minutieuse de la façade en briques jaunes de l'hôpital ne lui fournit aucune réponse à cette question. Sans se presser, il reprend le chemin de la polyvalente.

Ignorante de cette filature, Sonia est montée à la chambre de son ami, Antoine. D'une visite à l'autre, elle trouve qu'il maigrit régulièrement. Son état s'aggrave, c'est évident. Il ne mange presque plus et on doit le nourrir avec des solutions liquides. Heureusement, les tubes en plastique n'impressionnent plus la jeune fille.

— Bonjour, mon beau p'tit singe, lui dit-il d'une voix douce et affectueuse.

Elle sourit et l'embrasse. Malgré sa maladie, elle lui trouve des yeux magnifiques: ils sont remplis d'amour. Elle fait rapidement le tour des potins du jour concernant sa mère, Jean-Marc et elle-même. Il écoute d'une oreille distraite et attend qu'elle se taise pour lui annoncer:

— J'ai un cadeau pour toi. Oui, oui, une espèce de cadeau, si on veut. Ça ne se mange pas, ça ne se touche pas, ça ne se voit pas. Pour l'obtenir, tu dois écouter bien attentivement. Il s'agit d'une histoire que j'ai inventée pour toi. Je n'ai peut-être pas ton imagination, mais... elle n'est pas mal, mon histoire.

— C'est gentil à toi. De quoi ça parle?

Il rit un peu en la traitant de curieuse. Puis, commence ainsi:

— Il était une fois une maman, un papa et un petit garçon. Je sais, je sais, ça a l'air banal comme ça, mais la suite est plus originale. Le petit garçon s'appelait... Tony... Ça te va comme nom?

— Excellent! De toute façon, c'est toi le maître de ton histoire.

— Parfait! Je continue... Donc, le petit Tony vivait heureux avec papa et maman. Enfin, aussi heureux qu'on peut l'être quand on a des parents qui ne s'entendent pas très bien. Si on avait demandé au petit Tony pourquoi ça ne marchait pas entre ses parents, il aurait répondu: «Fouille-moi!» Comme quoi les enfants ne comprennent rien aux chicanes d'adultes. Enfin, là n'est pas la base de mon propos.

«Donc, pour être à la mode et pour faire comme tous les parents qui se disputent, papa et maman ont divorcé. Mais ce couple a quelque chose d'original, grâce à maman! Elle croit fermement que les hommes doivent se montrer modernes, responsables et prendre au sérieux leur rôle de père. C'est donc elle qui a quitté le foyer conjugal en laissant Tony à son cher papa. Il ne faudrait pas croire que c'était un abandon. Oh! Non! C'était un placement! Oui, oui, un placement pour l'avenir du jeune garçon. Ainsi élevé par son père, il deviendra un homme bien, plus tard. En attendant...

«En attendant, maman déménage. Elle part pour... pour... Toronto! C'est une belle ville, non? Et puis, maman a déjà fait une partie de ses études là-bas. Elle y connaît encore des gens qui l'aideront à se dénicher un bon emploi. Aussitôt dit, aussitôt fait! Et tout marche comme sur des roulettes. Tout va bien pour maman, un travail payant, de nouveaux amis, une vie fantastique, quoi! Une fois par semaine, elle fait sa bonne action avec un appel longue distance à fiston: «Tu vas bien, mon petit chéri? Oui, maman s'ennuie beaucoup de toi...» Et tout le blabla habituel.

«Pour couper la monotonie, elle fait un petit tour à Montréal pour Noël, pour Pâques, pour les grandes vacances et pour la fête de son fils. Alors, là, c'est la fête! Les cadeaux et les gâteries pleuvent. Tous les désirs de l'enfant sont des ordres pour la mère qui ne manque pas d'argent, il faut bien l'avouer. L'amour s'achète à coup de sorties au restaurant, de spectacles et de tout ce que l'on peut imaginer d'intéressant quand on est petit. Pendant quelques jours par année, c'est la vie de pacha.

«Et après, quand elle repart, le jeune Tony a droit au petit train-train quotidien. L'école, les devoirs, papa qui fait des gros yeux quand la chambre est en désordre, les punitions pour les mauvais coups. Aux yeux de Tony, c'était l'enfer après le paradis. Alors, dans la tête de l'enfant est née une drôle d'idée: Maman m'aime plus que Papa. Beaucoup plus! Et c'est avec elle que je veux vivre.

«Il a tout fait pour y parvenir. Il a supplié son papa de le laisser partir pour Toronto, il l'a harcelé de questions sur les raisons de leur séparation, il lui a même sorti des arguments chocs. Après tout, il avait vieilli le jeune Tony, il lui fallait penser à son avenir. Il a susurré à son père que, pour bien réussir dans cette partie du monde, on doit être parfait bilingue. L'endroit idéal pour y parvenir, n'est-ce pas Toronto?

«Papa a fini par céder, mais pas de gaieté de cœur. Il a fait des arrangements avec son ex-femme et Tony est parti. Heureux! Il était enfin débarrassé de son vieux bougonneux de père. Finie la routine ennuyeuse. La vie ne pouvait certainement pas être pire qu'avec son paternel. Seul, mais confortablement installé dans l'avion pour Toronto, il était convaincu d'aller vers le bonheur suprême...

«En mettant les pieds dans cette ville anglophone, le jeune Tony avait quinze ans. Quinze ans et tout son avenir devant lui...»

Antoine se tait et soupire. Il connaît bien la suite de l'histoire, mais il a besoin d'un temps d'arrêt pour refaire ses forces, s'il veut poursuivre. Sonia ne sait vraiment pas quoi dire. Ce récit de la vie de son ami lui paraît pathétique et troublant. Ça ressemble à une confession, un aveu. Si cela lui procure un certain bien-être de lui raconter tout cela, elle est prête à l'écouter jusqu'au bout. Elle l'embrasse de nouveau et attend la suite.

— Tu vois, le problème, c'est que Tony avait tout imaginé sauf le chum de sa mère, son «mac» à elle. Un Anglais, 100% pure laine... non, la laine, c'est québécois. 100% *pure plum-*

pudding, ou quelque chose du genre. Ça l'horripi-
lait quand Tony parlait français avec sa mère. Il
ne comprenait rien et croyait que le jeune garçon
faisait des manigances. Alors, Tony ne faisait
aucun effort pour parler anglais devant lui. Juste
pour l'embêter. Faut dire que le bonhomme
était un peu «yuppi». Tu sais ce que je veux dire:
dans la quarantaine, un bon boulot, un beau
condo, allergique aux enfants et aux animaux…

«Avec Tony, c'était la guerre. Il ne laisserait
pas cet enfant maudit lui voler sa blonde! Lui, il
n'en voulait pas de ce gamin dans son foyer.
Alors, Tony qui ne pouvait pas toujours supporter les batailles, sortait de plus en plus souvent
le soir. Au diable les études et bonjour l'ennui.
Faut pas croire que, dans une ville qui t'est
inconnue et où les gens n'utilisent pas la même
langue que toi, tu sois le bienvenu. Il a bien
songé à revenir auprès de son père. Mais ç'aurait
été avouer un échec. Il a son amour-propre, le
jeune Tony.

«Et puis, un soir, à force de se promener un
peu partout, il a rencontré une fille pas trop
moche qui traînait avec elle une vie compliquée
et remplie de problèmes. Une décrocheuse, un
peu paumée, mais gentille et sympathique.
Comment on dit dans les livres? Une jeune fille
pas trop farouche… Enfin, ce qui devait arriver,
arriva. Je passe sur les détails… Quatre mois,
que cette petite aventure a duré. Quatre mois et
un beau jour… Pffft! Disparue, la jeune fille.

Tony ne l'a plus jamais revue. Il l'a cherchée un peu partout, mais personne n'a jamais pu lui dire où elle était. Pour être franc, Tony n'a pas eu une grosse, grosse peine. Son intérêt pour elle avait commencé à diminuer, mais... il aurait bien voulu casser dans les formes.

«Enfin, il l'a oubliée et n'a trouvé personne pour la remplacer. Et c'est tant mieux, parce que, un peu plus tard, il affichait des signes de faiblesse. Oh! rien de grave, mais... les médecins ont cru qu'il avait peut-être une mononucléose, ou de l'anémie, ou... Alors Tony a eu droit à une série d'examens médicaux et a dû répondre à des questionnaires longs comme le bras. Puis, il a subi toute une batterie de tests. Des tests qui portent des noms tellement bizarres qu'on utilise des lettres pour les nommer. C'est plus court, plus facile.»

Antoine rit doucement et en regardant Sonia dans les yeux, il ajoute:

— Le plus comique, c'est le médecin qui lui a annoncé la grande nouvelle. Un médecin anglais, bien sûr, avec des cheveux blonds et une grosse moustache. En y repensant aujourd'hui, c'est vraiment drôle. Il lui a dit quelque chose qui ressemblait vaguement à: «Jeune homme, j'ai pour toi une bonne nouvelle et une mauvaise nouvelle. Laquelle veux-tu entendre en premier?»

«La mauvaise, bien sûr! a répondu Tony. La mauvaise... ça pouvait difficilement être pire. Bingo! C'est le sida... Évidemment, il a fallu mettre sa maman au courant. La crise! D'abord, elle jugeait cela impossible. Tony a changé de médecin, refait d'autres tests. L'horreur... des semaines d'horreur. À espérer, à désespérer. Quand sa gentille maman s'est rendue à l'évidence, son mâle lui a lancé un ultimatum. C'était lui ou Tony qui devait sortir de la maison. Quel choix horrible! Mais c'est Tony qui a décidé. Il en avait plein son casque de cet endroit où il n'avait jamais réussi à se faire de vrais amis, où il se sentait terriblement seul. Alors, il est retourné chez son papa chéri.»

— Et la bonne nouvelle du médecin, c'était quoi? l'interrompt Sonia.

— Ah! oui, j'allais l'oublier. Le docteur lui a annoncé que ç'aurait pu être pire. En se fiant à ce que le jeune Tony lui avait raconté de sa vie sociale (c'est-à-dire sexuelle), il n'avait contaminé personne d'autre. Et maintenant, il devait se considérer chanceux de savoir aussi rapidement la vérité sur son état. Ça lui permettrait de prendre ses précautions pour ses futurs partenaires. Cela devait être une grande consolation pour lui.

— Tu parles d'une bonne nouvelle! s'écrie Sonia sur un ton qui n'a rien de joyeux. C'est ridicule de dire ça à un malade.

Antoine lui sourit avec tristesse et secoue lentement la tête:

— Il n'avait pas tort le médecin de Tony. Sur le coup, ça a l'air idiot, mais en y réfléchissant… Ce n'est pas facile de penser que l'on va mourir, juste à cause d'une jouissance passagère. Mais ça soulage de savoir que l'on ne sera responsable de la mort de personne. En tout cas, moi, ça me fait du bien de penser ainsi. J'ai la conscience tranquille…

Sonia est troublée, elle n'avait jamais envisagé cette maladie sous cet angle. Antoine est la première personne qu'elle connaît qui en souffre, mais ça ne lui est pas tombé du ciel. Évidemment, il a fallu qu'Antoine ait des relations avec une fille pour attraper le virus. Et cette fille en a eu avec d'autres garçons. Avant et après sa rencontre avec Antoine! Et ces garçons, ils ont couché avec d'autres filles qui à leur tour ont fréquenté d'autres garçons. Et ainsi de suite… Comme un arbre généalogique, un gigantesque arbre généalogique aux multiples embranchements dont le seul lien commun entre les divers éléments est un virus, un tout petit virus!

Antoine conclut ainsi:

— Et voilà comment le jeune Tony est revenu dans le quartier de son enfance, le faubourg St-Rock, pour terminer ses jours auprès de ses anciens amis et de son père. Son pauvre père qu'il a négligé et qui pourtant l'aimait bien. Je me demande si son papa lui a pardonné d'être parti aussi loin?

— J'en suis certaine, affirme Sonia.

Ce qui la rend si sûre d'elle, c'est ce que lui a dit sa mère l'autre jour. Sonia lui avait fait remarquer que le père d'Antoine le négligeait. Sylvie lui avait assuré qu'elle se trompait et elle lui avait raconté brièvement sa conversation avec Pierre.

— Je l'espère, murmure Antoine d'une voix à peine audible. Si c'était vrai, ça m'aiderait à partir plus facilement…

— Le seul moyen de le savoir, c'est de le lui demander, suggère-t-elle.

Antoine ferme les yeux et se pelotonne sous ses draps avant de dire faiblement:

— T'es gentille, Sonia. je t'aime. Ça ne te dérange pas si je fais un petit somme? Je me sens un peu fatigué.

— Y a pas de problème! J'ai bien aimé ton histoire.

Debout, près du lit, la jeune fille voudrait bien lui caresser les cheveux, mais elle n'ose pas de peur de le déranger. La respiration d'Antoine est calme. Maintenant qu'il s'est vidé le cœur en expliquant comment il en était arrivé là, il s'endort rapidement comme un enfant sur qui l'on veille. Sonia se promet de rester à côté de lui aussi longtemps qu'il en aura besoin.

12

Rideau!

Pierre gare sa voiture devant la maison de Sylvie. La jeune femme en débarque, les bras chargés de divers objets. Pierre l'aide en transportant le plus gros d'entre eux. C'est Sonia qui leur ouvre la porte, surprise de les voir ensemble.

— Bonjour, monsieur Trottier. T'as besoin d'un coup de main, maman?

— Oui, tiens.

Sa mère lui tend son baladeur et des cassettes de jeu.

— Ce sont tes affaires. Antoine n'en a plus besoin. Il te fait dire merci.

Jean-Marc, attiré par le bruit des voix, prend le jeu Nintendo des mains de Pierre. Celui-ci, debout près de la porte d'entrée, s'apprête à partir. Sylvie l'invite à rester un moment, mais l'homme n'a visiblement pas le cœur aux mondanités. Après un bref salut aux adolescents, il retourne à sa voiture.

La porte n'est pas aussitôt fermée derrière lui que Sonia questionne sa mère:

— Pourquoi Antoine ne veut plus de cela? Il n'est plus capable de s'en servir? Son état a empiré?

La jeune fille est visiblement inquiète. Son frère l'est tout autant, mais il ne dit pas un mot. Il s'occupe les mains en branchant de nouveau le jeu vidéo sur leur télévision.

— Réponds, maman. Qu'est-ce qui arrive à Antoine? redemande Sonia.

Sa mère hésite, puis soupire avant de se décider à parler:

— C'est de plus en plus grave. Antoine approche de la fin.

— Non, gémit Sonia, puis sur un ton plus énergique, elle reprend: Alors, il faut que j'aille à l'hôpital tout de suite. Je veux le voir, être près de lui.

— Non, Sonia, tu ne peux pas.

— Pourquoi? Il a besoin de quelqu'un, de moi, de nous tous.

— Non, il n'a besoin ni de toi, ni de ton frère. Il veut être seul…

— C'est pas vrai, tu mens! C'est un mensonge! Tu dis ça seulement pour m'empêcher d'y aller. Parce que tu penses que je suis trop jeune pour aider quelqu'un, hein!

Sonia ressemble à une lionne prête à mordre n'importe qui pour défendre ses petits. Sylvie est découragée de l'attitude de sa fille, elle se tourne vers Jean-Marc pour y quêter de l'aide, mais ne rencontre que des yeux durs qui l'accusent davantage que les paroles de l'adolescente. Pour dominer la situation, elle prend une voix autoritaire:

— Assoyez-vous tous les deux sur le sofa et écoutez-moi. Je n'ai pas l'intention de vous retenir de force, vous en avez passé l'âge. Et c'est justement parce que vous êtes assez vieux que vous allez décider par vous-même. Mais pour bien choisir, il faut bien savoir. Allez, assoyez-vous, je vais vous expliquer, continue-t-elle d'un ton plus calme.

Jean-Marc obéit le premier et invite sa sœur à la rejoindre. Elle hésite visiblement, ne voulant pas donner l'impression qu'elle cède à sa mère, puis se décide brusquement et se laisse lourdement tomber sur le fauteuil. Sylvie est soulagée, mais le pire reste à venir.

— Je sais que pour des gens en bonne santé et en pleine possession de tous leurs moyens, ce que je vais dire est difficile à comprendre. Alors essayez pour quelques instants de vous mettre dans la peau de quelqu'un qui souffre, qui souffre terriblement, et qui sait qu'il ne pourra jamais guérir. Quand cette personne arrive à la fin de sa vie, quand elle est vraiment tout près de la mort, il arrive assez souvent que cette personne voie ce pénible événement comme une délivrance.

Elle se tait pour remettre de l'ordre dans ses idées et pour laisser le temps à ses jeunes d'absorber ce qu'elle vient d'énoncer. Jean-Marc la regarde droit dans les yeux pour demander:

— D'après toi, Antoine en est arrivé là?

— Oui. Au point où il en est, il tente d'accepter cette inévitable éventualité. Il doit d'abord essayer de se défaire de tout ce qu'il a aimé, de tout ce qui était important pour lui, de tout ce qu'il n'aura plus jamais. Et c'est ce qu'il cherche à faire maintenant, en vous demandant de ne plus aller le voir.

— C'est ridicule! s'exclame Sonia. Quand on aime quelqu'un, on…

— Antoine t'aime et il aime Jean-Marc. Vous comptez énormément pour lui.

— Et alors, c'est comme ça qu'il le prouve!

— D'une certaine façon, oui, reprend Sylvie. Pour mourir, pour bien mourir, il faut renoncer à tout ce qui nous était cher. Et pour bien accepter cela, il faut mettre de la distance entre ceux que l'on aime et nous-mêmes. Alors, Antoine vous renvoie vos choses. De toute façon, il n'avait plus la force de les utiliser. C'est ça, je crois qui lui a fait réaliser à quel point, il est près de la fin.

Antoine veut finir en beauté, avec dignité. Laissez-lui ce plaisir et dites-vous qu'il faut qu'il vous aime énormément pour agir ainsi.

Sonia pleure silencieusement et secoue mollement la tête. Jean-Marc se lève et disparaît dans sa chambre. Leur mère comprend leur chagrin. Elle s'approche de sa fille pour la consoler la première. Son grand, elle ira le voir ensuite. Une main sur le genou de Sonia, elle lui parle avec douceur.

Jean-Marc revient près d'elles, un cadeau à la main. Il le dépose gauchement sur les jambes de sa sœur.

— C'est de la part d'Antoine, pour ta fête. Je sais, c'est seulement au mois de juin, mais comme il m'a dit... Enfin, il n'était pas certain de vivre jusque-là. Il n'y a pas de carte. Il était peut-être trop faible pour écrire.

— Quand t'a-t-il donné ça? demande la jeune fille.

— Hier soir, après ta visite. Ouvre-le, tu n'es pas obligée d'attendre au 10 juin. Vas-y!

Sonia tourne et retourne entre ses mains la petite boîte à l'emballage brillant. Elle se doute bien de quoi il s'agit. Lentement, elle déchire le papier. C'est bien ce qu'elle croyait: une boîte de préservatifs. Gauchement griffonnés à l'encre rouge, directement sur la boîte, quelques mots:

«Dans l'espoir que ça te sauve la vie.»

Après un long silence, Sonia parvient enfin à dire:

— J'imagine que ce qu'il y a de mieux à faire, c'est de le laisser seul comme il le désire. N'est-ce pas?

○

Sans bruit, Sylvie repose le combiné sur l'appareil. L'horloge, pendue au mur de la cuisine, indique 5 h 5. Le soleil se lève à peine dans un ciel sans tache. Elle songe qu'il fait trop beau pour mourir et pourtant... Elle entend le plancher qui craque derrière elle. En se retournant, elle aperçoit Jean-Marc appuyé dans le cadrage de la porte.

Après un moment de silence, elle annonce enfin:

— C'était Pierre. De l'hôpital...

Puis, elle se contente de hocher la tête, les mots ne sortent pas. Son fils comprend que, pour Antoine, c'est terminé. Alors, il s'approche de sa mère et l'enlace. Sylvie sent des larmes chaudes qui lui coulent sur les joues et glissent, plus froides, dans son cou.

Le bruit d'une porte qui se referme avec un faible claquement les prévient que Sonia est réveillée et qu'elle se doute bien de la raison de l'appel téléphonique. Elle, aussi, a besoin de consolation.

13

Pour ne pas oublier

Juin s'est finalement installé avec ses lilas qui parfument lourdement l'air, ses petites fleurs d'églantier qui décorent les abords des bâtiments publics et ses tulipes qui pointent timidement le bout de leur nez.

Malheureusement, juin, c'est aussi la pénible période des examens avant le début des vacances tant espérées. C'est à corps perdu que Jean-Marc s'est jeté dans ses études. Il désire, évidemment, bien réussir sa dernière année au secondaire, mais il a une raison plus impérieuse d'agir de la sorte. Oublier! Oublier que son grand copain, son meilleur ami est mort. Tant qu'il a l'esprit occupé, il n'y pense pas et c'est moins douloureux.

Sonia l'envie de pouvoir ainsi travailler. Elle n'a pas sa chance. Plus rien ne l'intéresse, ni l'école, ni ses anciens amis, ni même son cahier noir aux histoires incroyables. Elle a tout mis de côté. Elle est obsédée par la fin d'Antoine. Elle y rêve la nuit et le jour. Elle cherche à donner un sens à la vie. Tout la révolte: la maladie absurde, l'amour impossible et même la présence de la mère d'Antoine auprès de son fils au moment de sa mort. Pourquoi cette femme qui s'est toujours si peu préoccupée de lui, avait-elle le droit d'être présente dans la chambre, tandis qu'on avait refusé à Sonia ce privilège?

Tout lui semble injuste et ridicule. Pourtant Sylvie ne cesse de lui répéter qu'un jour elle comprendra. Plus tard, toujours plus tard, tandis que c'est maintenant qu'elle souffre! Les cours, elle s'y présente parce qu'elle a promis à sa mère de le faire, mais elle y met le minimum d'efforts.

Assise dans le coin le plus reculé de l'amphithéâtre, elle écoute distraitement les présentations orales des autres étudiants. C'est une exigence de «Gaga» Lacombe et ça compte pour 15% de la note finale en FPS. Chacun doit tenter d'expliquer en quelques minutes, en quoi cette première année au secondaire, les a transformés. Pour passer le temps, Sonia griffonne des gribouillis informes sur le brouillon de son exposé. Elle juge cela moins ennuyant que les balivernes de ses camarades de classe.

La plupart d'entre eux ne réalisent pas qu'ils ont pu changer en un an, et disent à peu près n'importe quoi. Le professeur pige au hasard le nom de Sonia. C'est à son tour d'aller radoter en avant. En passant à côté de Ben, celui-ci lui bloque le passage juste assez longtemps pour lui chuchoter:

— T'es plus pareille comme avant, tu vas en avoir beaucoup à dire!

Sonia pense un moment qu'il se moque d'elle, mais en le regardant dans les yeux, elle réalise qu'il est très sérieux. Elle a même l'impression d'y lire de la sollicitude. Elle se hâte vers l'estrade et y monte, puisqu'il le faut. Debout, au-dessus des autres, elle se campe fermement sur ses pieds, prend une grande respiration et cherche le début de son texte. Les quelques secondes que cela lui prend, elle voit des dizaines de paires d'yeux tournés en sa direction. Certains expriment de la curiosité, d'autres de l'indifférence. Le regard de M. Lacombe semble plein de bienveillance. Caro la fixe avec intérêt. Et Ben lui sourit gentiment...

Alors, c'est plus fort qu'elle. Sans vraiment comprendre pourquoi, elle a envie de dire à tous qu'elle, elle a changé. Que pour elle, la vie ne sera plus jamais la même. Elle oublie complètement le texte qu'elle avait préparé et se lance dans une tirade improvisée:

— Si on m'avait demandé de faire cet exposé, il y a deux mois, je n'aurais pas su quoi dire. Parce qu'à ce moment-là, je n'avais pas encore changé. Mais depuis… j'ai été confrontée avec une vérité, une expérience particulièrement pénible, cruelle même. Enfin, c'est comme ça que je l'ai vécue.

Elle reprend son souffle et se dit que maintenant qu'elle s'est jetée à l'eau, elle ne peut plus reculer. Ses mains sont froides et immobiles le long de son corps, et elle a l'impression que sa cage thoracique se resserre sur ses poumons. Pourtant, il faut qu'elle aille jusqu'au bout. Alors, elle reprend d'une voix faible:

— C'est quelque chose qui est arrivé à un ami, un ami d'enfance que j'aimais beaucoup. Je… je l'aime encore, mais il est mort.

Le silence chargé d'attention qui s'est peu à peu créé depuis le début de son exposé, devient plus lourd et pèse sur les épaules de Sonia. Pour s'en libérer, elle doit parler, entendre le son de sa voix qui résonne à ses oreilles avant de se perdre dans le vaste amphithéâtre. Elle fixe un point imaginaire sur le mur du fond, pour ne pas avoir à regarder les réactions qu'elle provoque chez les étudiants.

— Il y a différentes façons de mourir. Ça peut être très rapide, comme dans un accident… ou on peut être prévenu à l'avance, dans le cas d'une maladie grave... D'une façon ou d'une autre, ça n'a rien d'intéressant, c'est toujours aussi terrible. Mais quand, en plus, on ajoute à cela la honte, ça devient comme un cauchemar. On se sent horriblement seul. On traîne son malheur sans pouvoir en parler à personne, on s'éloigne des autres pour ne pas avoir à révéler son secret.

«Quand je parle de honte, je veux parler de maladies honteuses, comme on disait dans l'ancien temps, sauf que ces maladies-là se soignent de nos jours. On n'en meurt plus. Mais il en existe une nouvelle, doublement pire, sans remède jusqu'à présent: le sida.

«La première fois que j'en ai entendu parler, je n'y ai porté aucun intérêt. Pour moi, ce n'était qu'une maladie d'homosexuels ou de gens qui vivent loin d'ici, aux États-Unis ou... ailleurs. Je n'ai jamais cru que ça pouvait m'atteindre. Je me sentais sous un globe de verre, protégée, bien à l'abri de ce danger. Ma bulle de protection a éclaté, il y a quelques semaines. J'ai compris que j'étais une idiote, enfin... que j'avais été naïve...

«Mon ami est mort du sida. Je ne l'ai su que quelques jours avant. Et pourtant, ça faisait près d'un an et demi qu'il l'avait. Un an et demi à souffrir en cachette! À souffrir dans son corps et dans son cœur! Pendant tout ce temps, il s'est tu parce qu'il avait peur d'être repoussé, rejeté par les gens. Il n'avait pas tout à fait tort, puisque effectivement, certaines personnes l'ont chassé. Alors, par réflexe, c'est lui qui s'est éloigné du monde. Et seulement à cause de quelques-uns qui se sont montrés incompréhensifs, il a été privé de l'affection et du réconfort des autres.

«Et ça, c'est affreux! Je veux dire... que c'est affreux d'être seul... mais le pire, c'est que moi aussi je n'ai pas su le comprendre. Pas tout de suite! Et je m'en veux. J'aurais voulu être meilleure pour lui. J'aurais voulu le comprendre davantage, l'aider un peu mieux. J'aurais voulu...»

Ce n'est qu'à ce moment, que Sonia réalise qu'elle a un goût de sel sur ses lèvres humides. De grosses larmes débordent sans effort de ses yeux. Sans retenue, elle avoue:

— Je voudrais tant qu'il vive!

Puis, comme si un système d'alarme venait de se déclencher subitement, elle dévale les trois marches de l'estrade et se précipite hors de la grande salle. Le silence qui y régnait depuis un bon moment, se brise soudainement. Des exclamations fusent de partout et un courant d'excitation agite les jeunes. Profitant de cette turbulence, Ben se faufile dans le corridor. Il n'a qu'un désir, retrouver Sonia.

Ne la voyant pas dans le couloir, il s'approche de l'escalier et y entend un bruit de pas précipités. Il se penche au-dessus de la rampe et a à peine le temps d'entrevoir la chevelure de la jeune fille qui disparaît en sautillant. Il se hâte pour la rejoindre, mais elle n'est déjà plus dans l'école. Il fonce vers l'entrée principale qui est tout près de lui. Le son d'un klaxon et celui d'un crissement de pneus attire son attention. À travers la porte vitrée, il aperçoit Sonia qui évite de justesse un accident fatal avec une camionnette rouge. Elle parvient saine et sauve sur le trottoir opposé.

Ben est convaincu qu'elle se dirige vers le parc. Il attend impatiemment que la circulation soit moins dense pour traverser le grand boulevard sans risquer sa vie. La jeune fille s'est enfuie en courant par une petite rue transversale. Il la suit de loin, au pas de course. Elle semble se fatiguer et ralentit un peu. Ben accélère, il n'a pas envie de la perdre de vue. À vrai dire, il n'a pas envie de la perdre tout court.

Il y a déjà un certain temps que Sonia l'attire. Il n'a jamais osé le lui dire de peur de lui déplaire, mais aujourd'hui... C'est plus fort que lui. Elle est triste et a besoin d'aide. Il ne peut pas l'abandonner. Il a l'impression qu'il est le seul qui puisse la consoler, le seul qui pourra la faire sourire de nouveau. Elle est si belle quand elle rit. Alors, il court, il court vers elle, en tâchant d'oublier le point qui lui coupe lentement la respiration. Elle est enfin là, marchant à petit pas, à quelques mètres de lui. Encore quelques foulées et il pourra la toucher.

— Sonia! Sonia! appelle-t-il d'une voix essoufflée.

Elle se retourne et le dévisage de ses grands yeux bruns sombres. Des larmes semblables à la rosée du matin persistent à s'accrocher à ses longs cils. Ses lèvres se pressent fortement l'une contre l'autre pour les empêcher de trembler. Et Ben se sent idiot, comme jamais dans sa vie.

Comment a-t-il pu imaginer qu'elle lui tomberait dans les bras à la recherche d'une épaule pour la réconforter? Mentalement, il se traite de débile, d'épais, de super-sans-tête... Pour cacher son ridicule, il demande en bafouillant:

— Tu ne t'es pas fait mal? Je veux dire... avec le camion. J'ai vu que tu as failli te faire frapper, alors... Je me demandais si tu n'avais rien...

— Ça va! Je n'ai rien, répond-elle d'une voix faible en s'essuyant les yeux.

Elle aussi se sent ridicule. Elle a fait une folle d'elle devant toute la classe. Comment a-t-elle pu étaler ainsi, devant les autres élèves, l'immense chagrin qui la torture. Elle relève la tête et répète:

— Ça va! Pour ça, pas de problème!

— Et pour le reste?

La question est sortie toute seule, sans qu'il réfléchisse. Ben voudrait bien s'expliquer ce qui le pousse à poursuivre la conversation, mais il est tellement confus devant elle. Il perd tous ses moyens devant la tristesse des autres. Il s'attend à ce qu'elle lui dise de se mêler de ses affaires, mais à sa grande surprise:

— Je vais m'en remettre. Enfin je l'espère. Tout le monde dit qu'il faut laisser le temps arranger les choses. Mais c'est long...

— Je comprends!

— Vraiment?

— Eh! Un peu... j'essaie de comprendre, fait-il d'un air gêné.

Un léger sourire se dessine sur le visage de Sonia. Un vague éclair de malice apparaît dans ses yeux. Elle hausse doucement les épaules. Ben redécouvre celle qui le trouble et le séduit tout à la fois, celle qui agit comme un aimant sur ses pensées. Étonné pas sa propre audace, il lui propose:

— Le parc n'est plus très loin, on pourrait aller s'y asseoir et jaser un peu... Si ça ne te dérange pas, bien sûr?

Elle hausse de nouveau les épaules avant d'accepter.

— Pourquoi pas? Je n'ai pas envie de retourner à l'école maintenant.

Ils marchent côte à côte, en évitant soigneusement de se toucher. Ben lui dit qu'il comprend qu'elle se sente malheureuse et n'ait pas envie de le montrer à tout le monde.

— Il y a un peu de cela, c'est vrai, mais je suis surtout gênée. J'ai honte...

— Honte! s'écrie-t-il. Mais il n'y a aucune raison!

— Là-bas, à l'école, ils doivent se moquer de moi, rire de ce que j'ai fait tantôt.

— Jamais de la vie, Sonia! S'ils avaient eu envie de rire de toi, ils l'auraient fait pendant que tu parlais. Non, au contraire, je crois qu'ils ont été impressionnés par ce que tu as dit. Par ton courage, aussi. Je ne sais pas si j'aurais été capable de faire comme toi et oser parler d'un sujet aussi délicat. Faut du cran, et ce n'est pas tout le monde qui en a... Je t'admire et je ne dois pas être le seul.

Elle se sent rassurée par ces paroles encourageantes. Elle regarde Ben d'un œil nouveau. Il est gentil. C'est tellement important de ne pas se sentir isolée. En entrant dans le parc, elle sait qu'elle y passera le reste de l'après-midi. Qu'elle apprendra des tas de choses sur Ben et qu'elle lui en racontera autant. Elle sait aussi que cela lui fera du bien, beaucoup de bien. Aujourd'hui, Ben est comme un vent de fraîcheur qui lui permet de respirer un peu mieux. Ses côtes qui l'oppressaient à lui faire mal, se relâchent lentement. La pression a été forte ces derniers temps, cette amorce de détente la soulage.

14

Adieu

En débarquant de l'autobus, Sonia cherche l'entrée des yeux. C'est un peu plus loin sur sa gauche. Elle glisse ses mains dans les poches de son manteau en jeans et sent sous ses doigts l'enveloppe de papier. Cela l'encourage dans son entreprise. D'un pas décidé, elle avance vers le cimetière.

Elle n'est venue ici qu'une seule fois, à l'enterrement d'Antoine. Il y a déjà trois mois de cela. Se souviendra-t-elle de l'endroit exact de sa tombe? Elle l'espère. Elle songe qu'elle aurait peut-être dû revenir avant, mais... elle n'était pas prête.

Il lui a fallu trois mois pour accepter. Trois longs mois pendant lesquels elle s'est révoltée, elle a ruminé, jonglé, pleuré, avant de finalement réaliser qu'elle avait tort de chercher un coupable. Ce n'était la faute de personne, pas plus celle d'Antoine, des adultes que la sienne. C'était un mauvais coup du destin, comme la foudre qui s'abat sur un arbre.

Il lui a fallu trois mois et de l'aide. D'abord, celle de sa mère qui s'est montrée patiente et compréhensive malgré ses minables résultats scolaires de fin d'année. Ensuite, celle de Jean-Marc qui a pris une grande décision au cours de l'été. Il désire orienter ses études vers le domaine médical, pour devenir chercheur. Il réussira, Sonia en est certaine, son frère est un «bollé». Et sa motivation est tellement grande...

Il y a même eu Pierre Trottier qui semble tourner autour de Sylvie. Un soir qu'il faisait une chaleur torride et que Sonia prenait un peu d'air sur son balcon, il est allé la rejoindre. Uniquement pour parler avec elle des bons souvenirs d'Antoine, les plus drôles, les plus touchants, les plus tristes. C'est bon de sentir qu'elle n'est pas la seule à penser à Antoine.

Et puis, il y a Ben. Elle le croise souvent dans le quartier. Par hasard? Oui et non... Elle sait qu'en allant au parc avant l'heure du midi, elle augmente ses chances de le rencontrer. Elle a appris que souvent, l'après-midi, il donne un coup de main à la quincaillerie de son père. En allant à l'épicerie, elle passe lentement devant la vitrine du magasin pour lui laisser le temps de l'apercevoir de l'intérieur et de la saluer. Généralement, quand il le peut, il court dehors pour lui faire un brin de causette. Entre eux, il n'y a rien de sérieux, Ben n'a jamais osé lui faire des avances, mais cette amitié déride Sonia. Amitié d'autant plus importante qu'avec Caroline... Elle est toujours en bons termes avec Caro, mais celle-ci a un *chum steady*, Charles! C'est bien suffisant pour créer un éloignement temporaire entre les deux jeunes filles...

En marchant sur le petit sentier asphalté, Sonia essaie de repérer l'endroit exact. Elle contourne une petite camionnette où sont entassés pelle, pioche, râteau et autres outils, stationnée en bordure. Elle ne porte aucune attention à l'homme qui travaille le terrain. Après un court instant d'hésitation à une croisée de chemins, elle décide de tourner à droite. Elle reconnaît vaguement l'endroit, mais il lui faut déchiffrer les inscriptions sur les pierres tombales avant de découvrir enfin la bonne. Elle y est!

Tout est si calme autour d'elle, il n'y a aucune agitation. Même les bruits de la rue lui parviennent filtrés par la distance qui l'en sépare. Elle qui craignait d'être troublée par la proximité de la mort, a plutôt l'impression d'être dans un grand parc, comme le jardin botanique. Une expression usée lui revient en mémoire: le repos éternel! À regarder la verdure, les fleurs et les grands arbres, elle est portée à y croire.

Sous sa main, le papier se rappelle à elle. Elle ne doit pas oublier la mission qu'elle s'est donnée. Où va-t-elle bien pouvoir déposer sa lettre? Voilà un détail auquel elle n'avait pas songé avant son départ! Indécise, l'enveloppe à la main, elle cherche la meilleure solution. Il lui est impossible de creuser le sol avec ses mains, mais elle pourrait peut-être glisser le papier entre l'herbe qui borde la pierre tombale et celle-ci.

À force de pousser et de triturer, elle réussit à faire disparaître la lettre à moitié dans la terre brune. Elle s'essuie les mains sur le gazon, murmure un faible adieu et retourne à grands pas vers l'arrêt d'autobus.

Du coin de l'œil, le travailleur solitaire, unique témoin de sa visite, l'examine pendant qu'elle s'éloigne. Il hoche la tête et termine sa tâche. Puis, il remonte dans son camion et, lentement, se dirige vers la tombe d'Antoine. Il s'arrête devant. Le nom sur la pierre ne lui dit rien, mais la date le fait réfléchir. Un rapide calcul lui indique que le jeune n'avait que dix-sept ans. Le papier blanc qui dépasse de l'herbe, attire son regard. Par acquit de conscience, il éteint son moteur pour le ramasser.

Le papier offre de la résistance quand il le prend et c'est ainsi qu'il réalise que c'est la jeune fille qui l'a placé à cet endroit. C'est une lettre adressée au mort. Que doit-il en faire? La remettre à sa place ou la jeter? Le règlement est pourtant clair et strict là-dessus. Aucun déchet ne doit traîner autour des tombes, même l'espace réservé aux fleurs est sévèrement compté.

Pour l'aider à résoudre son épineux problème, il ouvre l'enveloppe et en lit le contenu:

«Antoine,

Je sais bien que tu ne peux ni me voir, ni m'entendre et surtout pas me lire, mais tu me connais... Il faut absolument que j'écrive. C'est ma façon à moi de réfléchir, de ressentir et de communiquer.

Je tiens absolument à te dire que tu avais raison. Je n'étais qu'un singe. Un singe stupide, frivole et superficiel. Grâce à toi, mes yeux se sont ouverts sur la réalité, mes oreilles entendent la vérité et je n'ai plus peur d'en parler. Tu ne sauras jamais à quel point je t'en suis reconnaissante. Je ne t'oublierai pas.

Je ne sais pas ce qu'il y a de l'autre côté de la mort, mais s'il y a un autre monde, j'espère que tu y es heureux. J'espère que tu ne souffres plus. J'espère que tu t'y feras des amis meilleurs que moi.

Merci pour ton cadeau, mais je ne pense pas m'en servir tout de suite. Alors, je les ai

159

passés à Jean-Marc, au lieu de les laisser sécher
dans mon tiroir. Quand viendra le temps, je
serai prudente, promis!
Je t'embrasse pour une dernière fois,

Sonia
qui n'a plus rien d'un p'tit singe.»

L'homme replie la lettre et la glisse dans la poche de sa vareuse. Puis, il va prendre une pelle dans le coffre arrière. En deux coups, il arrache un bon morceau de tourbe. L'enveloppe est rapidement enfouie dans le trou et le gazon est de nouveau à sa place.

Le sourire aux lèvres, il remonte dans la camionnette. D'une pierre deux coups! La lettre a enfin rejoint son destinataire réalisant ainsi le souhait de l'adolescente, et il a réussi à faire un pied de nez aux règlements trop tatillons du cimetière. C'est une journée qu'il gardera longtemps en mémoire!

L'HEBDO DU FAUBOURG

Pour une sexualité sans risques

Le DSC de l'hôpital St-Rock organise un week-end d'information sur les maladies vénériennes. C'est à la suite d'une démarche des élèves de la polyvalente La Passerelle que les responsables de l'hôpital ont mis sur pied ce projet, qui vise surtout la prévention du sida. Bienvenue à tous et à toutes.

La série noire se poursuit

Un cambriolage a été commis dans la nuit de lundi à mardi dans une résidence de la rue des Plaines. Les malfaiteurs ont profité de l'absence des résidants pour vider la maison de tous ses objets de valeur, dont une collection de bibelots antiques et une oeuvre de Marc-Aurèle Fortin.

L'agent Belcourt, du poste de police local, nous a confirmé qu'il s'agissait là du neuvième cambriolage perpétré dans le quartier en autant de semaines. D'après le policier, les malfaiteurs qui travaillent par groupes de trois, font partie d'un vaste réseau. L'enquête piétine et la panique couve.

Émeute dans un bar du centre-ville

Une rixe qui aurait pu mal finir a éclaté samedi soir dernier au bar Valentin, où se produisait le groupe rock montréalais *Midnight Express*. On ignore ce qui a mis le feu aux poudres mais, à un moment donné, un jeune homme est monté sur la scène pour s'en prendre au chanteur du groupe, Luke Dansereau.

Les employés de l'établissement ont eu tôt fait de maîtriser l'agresseur, un résidant du Faubourg. Aucune accusation n'a cependant été portée contre lui, et *Midnight Express* a terminé son spectacle sans incident.

Table des matières

QUESTIONNAIRE

Maintenant que vous avez terminé la lecture de ce livre, vous avez peut-être des impressions à son sujet. Alors, nous vous cédons la plume. Dites-nous ce que vous en pensez en répondant à ce petit questionnaire.

1. Aimez-vous l'idée d'une collection où tous les personnages vivent dans le même quartier?

2. Quels personnages vous ont plu davantage?

3. Quels personnages aimeriez-vous retrouver dans un prochain livre?

4. Y a-t-il des thèmes que vous aimeriez voir les auteurs aborder? Lesquels?

5. Où imaginez-vous le Faubourg Saint-Rock?

6. Avez-vous d'autres commentaires à formuler?

Envoyez vos réponses à l'adresse suivante:

Éditions Pierre Tisseyre
Collection Faubourg St-Rock
a/s auteur de ce livre
5757, rue Cypihot,
Saint-Laurent (Québec)
H4S 1X4

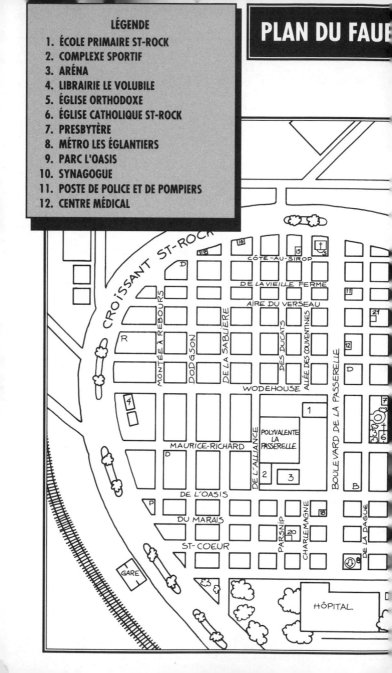